All eure Hoffnung ist wahr.

Zeda & Sophia

DER NEUE MENSCH

Wege in deine Zukunft

Umschlag Gestaltung: CREATOR GODDESSES
Umschlag Photo: Casey Horner on Unsplash

Verlag & Druck: tredition GmbH, Halenreie 40-44, 22359 Hamburg

ISBN
Paperback 978-3-347-15843-6
Hardcover 978-3-347-15844-3
e-Book 978-3-347-15845-0

Inhaltsverzeichnis

Zweiter Teil
Bewusstwerdung

Dritter Teil
Entschlusskraft

Vierter Teil
Umschwung

Fünfter Teil
Bewegung

Sechster Teil
Aufwind

Nachbemerkungen

Bonusmaterial

Einführung

Hörst du deinen Ruf?

Sabine ist Sophia

Ich bin Sophia. Ich bin das Licht und das Leben. Gekommen, zu dienen und zu herrschen. Wiedergeboren im Körper einer Frau, die in ihrer vollen weiblichen Kraft steht.

Ich bin gekommen, zu dienen dem Leben. Ich bin gekommen, zu herrschen über das Leben. Diese scheinbare Zweigeteiltheit ist Einheit. Von Anbeginn an war es mein Wille und Auftrag des Göttlich-All-Einen, Leben zu erschaffen, Leben zu kreieren in allen erdenklichen Variationen, Ausformungen und Facetten.

So gebar ich Leben.

So gebar ich den Menschen.

So gebar ich die weibliche und die männliche Existenz, auf dass sie sich befruchten. Ich überließ ihnen durch ihren freien Willen die Entscheidung, sich selbst zu formen, Gestalt anzunehmen sowie Fähigkeiten, Eigenschaften, physische Merkmale, Emotionen ... all dies auszuformen, damit zu spielen, zu experimentieren und es weiterzuentwickeln.

Ich gebar Mutter Erde, euer Zuhause, diese wunderbare Welt, und ihr bevölkertet Lady Gaia. Es war wunderbar. Viele Male habe ich euch zugesehen. Es war mir eine solche Freude, eurer kreativen Entwicklung beizuwohnen, euch in eurer Gestaltwerdung zu begleiten und bis zum heutigen Tage – mal stärker, mal weniger – zu beeinflussen durch meine Strömung. So, wie es gewünscht war.

Vieles ist niedergeschrieben worden, das nicht der Ursprünglichkeit entspricht. Ich wurde dargestellt als diejenige, die ihrem gottgleichen Partner nicht untertan sein wollte und als diejenige, die dadurch die Welt und ihre Geschöpfe in Verderbnis und Ungemach stürzte. Dieses Ungemach sei dadurch hereingebrochen, dass ich die „erste ungehorsame Frau" gewesen sei. Dies ist nicht korrekt.

Ich erschuf die erste Frau. Ich erschuf den ersten Mann. In mir wohnt das Göttlich-Weibliche und das Göttlich-Männliche. Es ist in mir vereint. Ich bin das einfache zweifache Licht.

Es gab keinen Partner, dem ich hätte untertan sein können oder müssen. Das Konzept des Ungehorsams hat nur Gültigkeit in der dualen Welt. Um ungehorsam sein zu können, muss es Regeln geben, die befolgt werden sollen. Zu Anbeginn der Zeit dieses Universums gab es jedoch nur eine Regel. Diese Regel hieß:

Schöpfe!

Schöpfe!

Schöpfe!

Also er-schuf ich. Ich schöpfte aus dem göttlichen Raum der unbegrenzten Möglichkeiten. Ich schöpfte und gebar die Tochter, den Sohn, die Heimat, die Nahrung, die Zufluht, die Freude, den Schmerz. Ich herrschte über die Schöpfung.

Es war der Wille der All-Einheit, der durch mich wirkte und der mich meine Schöpfung beobachten ließ. Es war der Wille des All-Einen, der All-Einen, der mich zurücktreten ließ und so meinen Geschöpfen den Raum zur Verfügung stellte, um sich ihrem eigenen Willen gemäß zu entwickeln.

Manches, das ich sah, schmerzte mich. Doch wie es eine liebende Mutter tut, greift sie nicht überall ein, weil sie weiß, dass ihre Kinder ihre eigenen Erfahrungen machen müssen. Ich sah vieles, das mir große Freude bereitete und auch dort griff ich nicht ein, weil ich wusste, dass meine Geschöpfe ihre eigenen Erfahrungen machen müssen. Zuzeiten war ich präsenter, zu anderen Zeiten zog ich mich mehr zurück. Ganz so, wie es meine Kinder bestimmten.

Nun haben wir bestimmt, dass ich meine Strömung auf Mutter Erde wieder verstärke. So habe ich den Tsunami der Liebe ausgelöst und verstärke meine Energie besonders in allen Weiblich Geborenen und in denjenigen männlich Geborenen, die meiner Kraft und Stärke bedürfen.

Mein Kennzeichen ist die Unbeugsamkeit, die Liebe und Erlösung.

Meine Energie durchdringt alles, durchströmt alles.

Sie hält allem stand.

Sie will alles.

Sie fordert nichts.

Denn ich bin Sophia.

Ich erlöse durch Liebe.

Meine Weisheit ist die Weisheit des All-Einen.

Ich bin gekommen, zu dienen und zu herrschen.

In Liebe,

Sophia

Ellen ist Zeda

Ich bin Zeda. Gekommen, um euch weitere Informationen zu übermitteln.

In den vergangenen Jahrhunderten und Jahrtausenden eurer menschlichen Entwicklung standen euch alle Zeit die Wesenheiten, Fähigkeiten und Energien der für das menschliche Auge nicht sichtbaren Welt zur Verfügung. Mehr als das: Sie waren über alle Zeit ein Teil von euch, den ihr absichtsvoll mit eurer Inkarnation vergessen und abgelegt habt.

Es ist jetzt die Zeit gekommen, sich dessen wieder bewusst zu werden.

Zu diesem Zwecke übermitteln Sophia und ich euch die Worte des Buches. Es geht nun darum, die Bewusstwerdung der Menschenheit voranzutreiben, den Neuen Menschen und die Neue Erde hier lebendig werden zu lassen. Sie in euch wahrzunehmen und auf diese Weise zu materialisieren.

In euren Gedanken sind Manifestationen noch immer getrennt von eurem seelisch-geistigen Potenzial. Viele von euch versuchen, Energien zu lenken, zu verdichten, zu fokussieren oder zu formen, um etwas Berührbares zu erschaffen.

Ich möchte euch sagen, dass alles, was ihr zu erschaffen wünscht, nur aus eurem Herzen heraus freigelassen werden muss.

Dazu ist es hilfreich, euren eigenen Gefühlen, Wahrnehmungen, Wünschen und Sehnsüchten Raum zu geben, sie in euch zu erlauben und ihnen dadurch sowohl Energie zuzuführen als auch Entfaltung zu ermöglichen. Entfaltung und Energien ergeben gemeinsam eine Schöpfungssphäre, die sich in eurem Umfeld niederlassen und Fuß fassen kann, sodass sie reift und heranwächst.

Alle sichtbar gewordene Schöpfung ist ein Produkt des Herzens, ist ein Raum gewordener Gedanke, ist ein Ausdruck eurer Seele. Dies zu lernen und anzuwenden bedeutet, allem in dir die Erlaubnis zu erteilen, zu sein.

Ich begleite seit Äonen verschiedene Zivilisationen, humanoide und extraterrestrische Sternensaaten durch Entwicklungsschritte ähnlicher Art. Die Wandlung der euch bekannten Erde in die Neue Erde und der euch bekannten Menschenheit zum Neuen Menschen ist von einigen Besonderheiten geprägt.

In eurer polarisierten und dual angeordneten Erlebniswelt sind die Trennungsempfindungen und Trennungserlebnisse besonders stark ausgeprägt. Die Trennung findet ausschließlich zwischen eurem Denken und eurer tatsächlichen seelischen Herkunft statt. So ist es leicht verständlich und ersichtlich, dass neue Denkkonzepte, Denkvariationen und Denkmuster erforderlich sind, um eine neue Entwicklungsrichtung einzuschlagen. Es ist nicht erforderlich, das Außen zu ändern.

Die wahrhaft bedeutungsvolle Änderung ist die, dem Verstand den Vorrang abzusprechen. Dabei gebiert der Verstand immer neue Gründe und Konstruktionen, um seine Vormacht nicht aufgeben zu müssen. Dies wiederum stärkt euren Seelen- und Herzensfluss, der in Konflikt mit dem Denken seine eigene Wahrheit und Tiefe neu erspürt. Ihr werdet euch eurer tiefen Gefühle, Empfindungen und Wünsche bewusst, die sich eurem Denken widersetzen.

Ich erlaube mir, zu sein ist ein Mantra, mit dem ihr eurer eigenen Seele und Herzensenergie im täglichen Leben mehr Raum und Aufmerksamkeit zur Verfügung stellen könnt. Das Mantra drückt den Wesenskern oder die Essenz eurer Inkarnationsaufgabe aus. Es dient eurem inneren Wachstum und der Stärkung eurer Seelen-, Emotions- und Herzensanteile.

Ich habe gesprochen.

Erster Teil

Das bisherige Sein.

1
Nofretete und Nebukadnezar

„Wir sind gekommen, euch zu begleiten bei eurem neuen gemeinsamen Projekt."

Wir sind Nofretete und Nebukadnezar. Wir sind Gesandte der SternenAllianz. Wir sind zahlreich hier versammelt. Unsere Energien umfassen ca. 74 Millionen Einzelwesen, die ihr Augenmerk jetzt in diesem euren Zeitmoment auf euch gerichtet haben. Dies ist der Grund für eure emotionalen Wallungen. Dies beeinflusst eure emotionale Wahrnehmung und wir würden auch sagen, es beeinflusst eure emotionale Intelligenz. Die Feinsinnigkeit eurer beiden Körper- und Energiesysteme ist sehr ausgeprägt.

Wir wissen, dass du, Sabine, dies zu einem gewissen Teil ablehnst oder im Widerstand damit bist. Aus unserer Warte heraus können wir dir jedoch versichern, dass du, wenn du die energetischen Tore dafür öffnest, wesentlich mehr Reichweite im Bewusstseinsraum erlebst und wahrnimmst.

Wir sind gekommen, euch zu begleiten bei eurem neuen gemeinsamen Projekt, welches sich schon lange angebahnt hat und welches wir auch im Einzelnen unterstützen werden. Dies bedeutet, dass viele Mitglieder unserer SternenAllianz zu Wort kommen werden und euch Fragen beantworten werden sowie neue Informationen zugänglich machen werden. Dies bewirkt außerdem eine weitere Energieerhöhung eurer irdischen Präsenz. Dieses gemeinsame Buchprojekt war einer der Meilensteine, die ihr vor eurer Inkarnation festgelegt habt. Daher sind wir mehr als HOCHERFREUT, dass dies nun in die irdische Materie eintreten kann.

Unsere Energiefrequenzen[1] haben wir heute ausgewählt, weil wir schon einige Male auf Gaia inkarniert waren und geübt sind im Umgang darin, inkarnierte Wesen zu unterrichten.

Wir können es nicht vermeiden, dass mit unseren Worten, die durch dich, Sabine, fließen, Energien der 74 Millionen Mitglieder der SternenAllianz mit übertragen werden. Daher ist dies eine besondere Frequenz, die ihr wahrnehmt, da sie nicht nur aus unseren beiden Energieformen gespeist wird.

Diese Energieübertragung bewirkt automatisch eine Zellaktivierung in euren irdischen Körpern, die dazu dient, euch als Kanal noch durchlässiger zu machen und unsere Worte einfacher empfangen lässt. Des Weiteren wird dadurch eure genetische Grundsubstanz dergestalt verändert, dass ihr auf Wissensfelder zugreifen könnt, die euch sonst nicht möglich wären, zu erreichen.

Wenn ihr daher im Folgenden zum Beispiel Träume habt oder Bilder empfangt, die euch unwirklich, unreal, unverständlich erscheinen, ist es höchstwahrscheinlich diesem Umstand geschuldet. Wir setzen alles daran, die Energien dergestalt zu kanalisieren, dass sie euch so zur Verfügung stehen, dass sie für euch von größtmöglichem Nutzen sind.

Ja, wir merken, dass dein Körper Zeit braucht, um sich auf diese Energien einzustellen, um diejenigen Bilder, die uns jetzt am nützlichsten erscheinen, zu empfangen und zu entschlüsseln. Wir werden daher diesen Energiestrom in den nächsten Tagen anpassen – ihn aber mit deiner Erlaubnis aufrechterhalten.

Sabine: „Okay, ich hab ja sonst nichts zu tun ...“

---

[1] Damit gemeint sind Nofretete und Nebukadnezar.

Wir danken dir fürs Erste und melden uns zu gegebener Zeit wieder bei dir.

Wir haben gesprochen.

2
Weiße Büffelkalbfrau

„Meine Anwesenheit soll eure Tränen trocknen."

Ich bin Weiße Büffelkalbfrau. Dem Stamm der Lakota erschien ich vor 1460 Jahren. Ich bin damals mit der Absicht einer Welt verändernden oder Welt erneuernden Energieübertragung hier real sichtbar und spürbar geworden für diejenigen, die ich auserwählte, Zeugen meines Inkarnationsprozesses zu sein. Ich benutze das Wort Inkarnation, da ich für eine kurze Zeit einen fleischlichen Körper und real berührbare Außenkonturen hatte.

Ich habe mein Volk angeleitet, sich selbst als heilige göttliche Kreaturen wahrzunehmen, ihren eigenen Selbstwert zu erkennen und aus diesem heraus eine ehrbares, naturverbundenes Leben zu führen, das im Einklang mit diesem Planeten und mit allen anderen hier inkarnierten Wesen steht.

Meine Anwesenheit soll eure Tränen trocknen. Es bedarf keines Kummers oder Schmerzes, auch wenn aus eurer heutigen Sicht sich viele Menschen von diesen Werten abgewandt haben.

Ich möchte euch meine Wahrnehmung dazu übersenden.

Mein Volk und viele andere indigene Völker sind durch die sogenannten Zivilisationen ausgerottet oder unsichtbar geworden. Dies geschah – unglaublich oder nicht – auch mit deren Einverständnis. Es war an der Zeit, die Vor- und Nachteile einer Zivilisation zu erforschen, um den Wert des naturnahen, wertschätzenden Lebensstiles in sich selbst wiederzufinden. Ihr könnt es wie einen Anreiz für ein bereits vorhandenes tief empfundenes Wissen wahrnehmen.

So, wie in euch bereits göttlich lebendiges Licht inkarniert ist, ohne dass es euch jemals in eurem TagesBewusstsein ereilt, welche wahrhaft großartigen Veränderungen und Reaktionen euch dadurch möglich sind.

Noch immer begrenzt ihr euch, durch euer Bewusstsein und euer Denken, auf das rein menschliche Erschaffensprinzip.

Mit unserem Buchprojekt möchten wir euch unter anderem anleiten, den kreativen Materialisierungsprozess neu zu erfassen, euch selbst als die schöpferischen Wesen wahrzunehmen, die ihr wahrhaft seid und euer Wertesystem, das euch zutiefst immanent ist, zu stärken und ebenfalls tagesbewusst zu machen.

Ich habe gesprochen.

3
Nikositute

„Euer Wirken beeinflusst den gesamten Kosmos.“

Ich bin Nikositute. Ich bin die reine Freude, das Licht und das Leben. Und wieder einmal bin ich hier, um euch, Ellen und Sabine, zu danken für euren Weg. Dies mit anzusehen, ist die reine Freude, weil euer beider Licht gemeinsam um ein Vielfaches heller strahlt als allein. Diesen Weg gemeinsam zu beschreiten, ist ein Experiment, zu welchem ihr euch im Vorhinein verpflichtet hattet. Wobei das Wort verpflichten eine negative Konnotation aufweist, die es nicht trifft. So sage ich besser, es war euer Wunsch, es zu erfahren, um zu erleben, was alles möglich ist.

Dieses Experiment, mit euren unterschiedlichen Wesensarten in Einklang zu gehen, haben nicht viele vor euch gewagt. Zu groß waren die Bedenken, dass, wenn zwei gemeinsam gehen, es zu Disharmonien kommt, die eine Ent-Zweiung dieser Energien bedeuten würden. Daher freut es uns besonders, dass ihr so lichtvoll und hochschwingend und in der Liebe seid, dass diese Zusammenarbeit ermöglicht wird, ohne dass Reibungsverluste geschehen.

Im Gegenteil durch die Reibung, die entsteht, erhöht sich die Güte eurer Zusammenarbeit. Wenn ihr eintaucht in euer gemeinsames Energiefeld, könnt ihr aus den Weiten des Universums schöpfen und Bereiche miteinander verknüpfen, die vorher so noch nicht verknüpft worden sind. Dies ist eine Bereicherung, für euer Gefolge und für den gesamten Kosmos.

Wir nehmen zur Kenntnis, dass, wenn wir darauf hinweisen, dass euer Wirken den gesamten Kosmos beeinflusst, dies in eurem Tagesbewusstsein unwillkürlich verneint wird.

Jedoch nehmen wir auch wahr, dass dies immer weniger geschieht und ihr euch eures Handelns und Wirkens immer mehr bewusst seid und werdet.

Die Gemeinschaft der Pro-Gaia-Unterstützung freut sich sehr über euren Weg und ich übermittle euch ihre Ehrerbietung und Wertschätzung, ebenso wie die Versicherung ihrer ungeteilten Unterstützung für jedwedes Vorhaben, welches im Einklang mit euren vereinbarten Seelenzielen liegt und welches dem Aufstieg von Gaia und ihren Kindern dient.

Habt Dank für eure Energie, eure Gemeinschaft und die daraus entstehenden neuen Schöpfungen.

Ich habe gesprochen.

4
Soluthada

„Wir möchten eure Energiesysteme weiterhin angleichen und harmonisieren."

Ich bin Soluthada. Abgesandte des marsianischen Volkes und ebenfalls glühende Unterstützerin eures gemeinsamen Wirkens.

Meine marsianischen Schwestern und ich sehen mit Freude, dass sich die männlichen Energien in euren Energiesystemen gut etabliert haben. Wir möchten daher eure Energiesysteme weiterhin angleichen und harmonisieren.

Dazu durchströmen nun unsere Energien eure äußeren Energiekörperschichten in den Bereichen, in denen sie sich überlagern. Von dort ausgehend übertragen wir dieses Harmonisierung bis hin zu euren materiellen Körpern, durchströmen diese und strömen zu allen Seiten wieder hinaus. Dadurch entsteht ein harmonisches Energiefeld, welches dem Ausgleich der männlichen und weiblichen Kräfte in euch weiterhin Vorschub leistet. Dadurch fällt es euch leichter, die männlichen und weiblichen Energien im Ausgleich und in Balance zu halten. Die Wellen und Ausschläge zur einen oder anderen Seite sind nicht mehr so groß und leichter im Alltag zu händeln.

Nichtsdestotrotz werdet ihr das marsianische Feuer stärker in euch spüren als bisher.

Wie sich dies in Zukunft anfühlen und wie es aussehen wird, ist nicht zu hundert Prozent vorhersehbar. Wir möchten euch jedoch versichern, dass wir jederzeit zur Stelle sind, um regulierend einzugreifen, sollte es in euren irdischen Kokons unangenehm oder eng werden. Ihr seid nicht allein.

Wir danken euch für die Bereitschaft, dieses hochspannende und interessante Experiment zu erleben und es für diejenigen, die euch nachfolgen werden, einzuspeisen in das kollektive Gedächtnis und das morphogenetische Feld.

Ihr seid Pioniere der Neuen Zeit, der Neuen Energien, des Neuen Menschen und der Neuen Frau. Dafür gebührt euch Ehre, Respekt und Anerkennung.

Empfangt diese!

Habt Dank für eure Zeit und Energie.

Wir ziehen uns nun zurück.

5
Geleitwort von MechnAton

„Meine Worte setzen in dir einen Reife-, Materialiserungs- und Änderungsprozess frei."

Ich bin MechnAton, Herrscher der Amazonen der Sonne. Ich grüße euch, weiblich Geborene auf Lady Gaia!

Besonders den weiblich Geborenen gelten meine Worte, da sie es hauptsächlich sind, die den Wandel vorantreiben.

In vielen Prophezeiungen wurde von der Neuen Zeit, die nun angebrochen ist, als das Goldene Zeitalter gesprochen. Dieser Begriff rührt daher, dass diesem neuen Zeitalter in ganz besonderem Maße die Energien des Feuers und somit auch der Sonne und ihrer Repräsentation als goldene Himmelskugel innewohnen.

Die besonderen goldenen Energien hätten VOR dieser Zeit nicht auf Mutter Erde die gewünschte Wirkung haben können, da sie zu zerstörerischen Zwecken missbraucht worden wären, da das männlich-kriegerische Element vorherrschend war. JETZT, da sich die Waage ihrem Ausgleich nähert, ist es möglich, nun diese Energien vermehrt bis in die Materie eures Himmelskörpers einströmen zu lassen.

Sie gehen mit dem feurigen Kern von Lady Gaia eine fruchtbare erneuernde Verbindung ein. So wird Lady Gaia quasi ebenso wie die Erdbewohner von innen heraus gereinigt und erneuert. Ergebnis wird eine geheilte, geheiligte Neue Erde sein, ebenso wie geheilte, geheiligte Neue Menschen das Ergebnis sein werden.

Der Ausgleich und die gleiche Gültigkeit von weiblicher und männlicher Energie spielt in diesem Prozess eine übergeordnete Rolle, weshalb all jene, die dieses Wort vernehmen, zu der Speerspitze eines gewaltigen Heeres gehören.

So, wie die goldenen Energien das Innere von Mutter Erde erreichen, so erreichen dich nun im Inneren meine Worte. Meine Worte setzen in dir einen Reife-, Materialiserungs- und Änderungsprozess frei, der der Erweckung des Neuen Menschen dient.

Euer Individuationsprozess hat euch bis hierher gebracht. Nun ist es mit der Neuen Menschenheit an der Zeit, zur Einheit und Einheitlichkeit zurückzukehren. Dies meint nicht ein Gleichmachen von zuvor erreichter Individualität, sondern eine Vereinheitlichung und einen Ausgleich eurer Energien. Dies ist ein langer Weg. Jedoch habt ihr den größten Teil des Weges bereits zurückgelegt. So könnt ihr euch vorstellen, dass ihr euch bereits auf der Rückreise befindet.

Ihr werdet noch viele weitere interessante Stationen in eurer Mensch- und Einswerdung durchlaufen, bis die Reise des Aufstiegs abgeschlossen ist. Wobei wir ungern von abgeschlossen oder Ende sprechen, da nichts jemals endet. Jedoch gibt es separate Einheiten von Prozessen, die durchlaufen werden und die ein weiches Ende und einen weichen Anfang haben. Alles fließt ineinander. Es breitet sich aus und zieht sich wieder zusammen. Es entsteht etwas Neues. Das Neue lebt und vergeht und es entsteht wiederum etwas Neues.

Werden und Vergehen sind Teil eines jeden Evolutionsprozesses und auch Teil jedes Schöpfungsprozesses. Dabei möchten wir darauf hinweisen, dass kein Zustand dem anderen vorzuziehen ist. Jeder Zustand hat seine Berechtigung und seine Daseinsberechtigung und ist unabdingbar für den gesamten Prozess der Schöpfung.

Wir wünschen euch weiterhin erhebende Erkenntnisse bei der Entdeckung eurer Menschlichkeit und der Einswerdung.

Wir geleiten euch durch die Erfahrung eurer Existenz solange ihr dies wünscht. Mit Respekt und Hochachtung ziehen wir uns nun zurück.

Wir haben gesprochen.

6
Esradnom

„Durch Wesen wie euch, die sich auf Lady Gaia inkarnieren, wird die Zeitlinie verschoben.“

Ich bin Esradnom. Ich grüße euch und freue mich, euch weitere Informationen aus der fernen Zeit der Gottgleichen Pharaonen zu übermitteln. Eure Geschichtsschreibung hat nicht einmal im Ansatz erkannt, welche wahre Geschichte hinter dem Leben der Pharaonen und der alten afrikanischen Kulturen steht.

Viele verschiedene Zivilisationen haben bereits Lady Gaia bevölkert. Die Pharaonen waren zu mehreren Zeitepochen auf Lady Gaia zugegen. Ähnlich wie der Untergang von zum Beispiel Atlantis sind auch mehrere Hochkulturen der pharaonischen Gottheiten untergegangen.

Die Ursachen des Unterganges dieser Zivilisationen waren vielfältig. Einerseits war die Verknappung von Ressourcen infolge einer Erderwärmung die Ursache, ein anderes Mal war die Verknechtung der Bevölkerung und eine göttliche Anmaßung die Ursache des Unterganges. Ein weiteres Mal lag die Ursache in einem Polsprung begründet, denn die Geschichte eurer Erde – dieses wunderbar wandlungsfähigen Himmelskörpers – ist sehr bewegt.

Zu keiner Zeit war die Integrität des Planeten in Gefahr. Die Klimaschützer eurer Jetzt-Zeit gehen daher fehl in der Annahme, dass sich die Erde durch den Einfluss der Menschen selbst zerstören könnte. Je nach Zeitlinie wäre es jedoch möglich, dass eine Auslöschung der Menschheit die Folge sein könnte. Jedoch halten wir dies in der nächsten Zeit nicht für sehr wahrscheinlich.

Wir haben festgestellt, dass immer wieder ein Zustand der Neutralität hergestellt wurde – zu allen Zeiten, und dass, je früher dieser Zustand hergestellt wurde, und dass, je länger der neutrale Zustand anhielt, die alten Zivilisationen und Gesellschaften auf Lady Gaia existierten. So gab es Gesellschaften, die mehrere hunderttausend Jahre auf Gaia körperlich existierten, bevor sie ihren geistigen Aufstieg vollzogen. Eure Zivilisation ist noch recht jung und es ist offen, wie lange sie auf Gaia noch existiert.

Durch Wesen wie euch, die sich auf Lady Gaia inkarnieren, wird die Zeitlinie dahingehend verschoben, dass die jetzige menschliche Zivilisation eine längere Verweildauer hat. Der Ausgleich der männlichen und weiblichen Energien ist dabei ein sehr großer - nicht zu unterschätzender - Beitrag. Daher möchte ich euch gern an anderer Stelle Rede und Antwort stehen und euch weiter über das Leben der Pharaonen berichten, die diesen Ausgleich ebenfalls anstrebten.

Für jetzt bedanke ich mich für die Empfängnis meiner Worte und ziehe mich kurz zurück.

7
Zeda

„Die Grundsubstanz deiner eigenen Existenz ist göttliches Licht."

Ich bin Zeda. Ich grüße euch, geliebte Erdenwesen. Mit meiner hell strahlenden Präsenz möchte ich euren Weg in dieser Inkarnation und für die nachfolgenden Generationen auch in deren Inkarnation erleichtern. Meine Anwesenheit hier in diesem Zeitmoment eurer Existenz gewährt euch tiefe Einblicke in eure wahre Herkunft und spirituell-energetische Beschaffenheit.

Ein jedes auf dieser Erde inkarnierte Wesen ist aus dem Material von Licht und Liebe gewebt. Desto mehr du dich selbst der Liebe zuwendest, wirst du eher und tiefer gewahr, dass die Grundsubstanz deiner eigenen Existenz göttliches Licht ist.

Bist du eine Person, die sich bisher von Liebe, Licht und Wahrhaftigkeit abgewendet hat, wird es dir schwerer fallen, deinen wahren Kern zu entdecken und du wirst dich lange auf der Suche danach befinden, was dich erfüllt, beglückt, voranbringt oder unterstützt. Deine Resonanz mit den Schwingungskräften der bedingungslosen Liebe ist sehr gering, sodass du Ideen, Konzepte, Gegenstände, Situationen, Menschen und Gedanken in dein Leben ziehst, die ebenfalls wenig Licht in sich tragen.

Auf eurer holografischen Lernstation, die sich im Energiefeld von Mutter Erde befindet, existieren immer alle Variationen von Liebeslicht. Diejenigen mit hoher Lichtfrequenz und diejenigen mit weniger lichten Frequenzen schließen einander nicht aus. Es führt ihr Wesenskern jedoch zu einer Sortierung oder Polarisierung.

Richtest du dein Streben nach Licht und Liebe, werden sich in deiner näheren Umgebung immer mehr Menschen und inkarnierte Wesen aufhalten, die ebenfalls voller Licht und Liebe zu sein scheinen.

Aus diesem Bildnis der Gruppierung und Polarisierung entsteht für dich eine neue Erkenntnis über diese Welt. Beide Ausrichtungen und beide Pole sind notwendig für die Rotation und die Zyklen des Lebens, die Zyklen des Erwachens und immer wieder neu Erkennens, dass weitere unbewusste Bereiche in dir schlummern. Sie alle wechseln sich ebenso ab, wie die Zyklen von Leben und Vergehen, Geborenwerden und Sterben, vom Aufblühen und Früchte tragen, ebenso wie alle Jahreszeiten, Erdumrundungen, kosmischen Muster und Rhythmen.

Eingebettet in all diese Zyklen und Kreisläufe bist du wesentlicher Teil dieses Lebens und der Entwicklung auf dem Planeten, sowie für die menschliche Gesellschaft. Dein Gegenüber, der sich am anderen Pol in der größeren Resonanz (zu deinen Gegensätzen) befindet, dient dieser Entwicklung ebenso.

Es ist von großer Wichtigkeit, Frieden und die Befreiung von Bewertung zu erreichen oder eine aus der höheren Sicht so bezeichnete Neutralität. In dieser höheren Neutralität werden alle Unterschiede wahrgenommen, jedoch nicht nur nach erwünscht und unerwünscht unterschieden, nach hell und dunkel unterschieden, nach gewollt und ungewollt unterschieden. Es gilt einfach nur noch die Wahrnehmung der eigenen Resonanz, der eigenen Antriebskräfte und des eigenen Fokus. Alle Bewertungen von anderen Resonanzen sind damit hinfällig.

In unserem Buchprojekt „Der Neue Mensch" wollen wir dich schrittweise dorthin führen, selbst in eine klare Eigenmachts- und Selbstliebesposition aufzurücken und deine Bewertungen mehr und mehr fallen zu lassen.

Dadurch wird es dir möglich, eine höhere Sichtweise auf die Dinge des alltäglichen, familiären, beruflichen, wissenschaftlichen, politischen, wirtschaftlichen oder gesellschaftlichen Konsens einzunehmen und für dein Umfeld auf eine neue Weise zu agieren. Du wirst selbst zum Vorreiter deines persönlichen Umfeldes und deiner näheren Umgebung, sodass sich immer mehr Menschen zu dieser Neuen Goldenen Zeit passend in leuchtende, strahlende Liebeswesen entwickeln können.

Da du dieses Buch zur Hand genommen hast, gehen wir zwingend davon aus, dass du bereits so viel Liebe in dir trägst, dass du unseren Ruf wahrnehmen konntest.

Wir sind eine Gemeinschaft von Schöpfungsmächten, aufgestiegenen Meistern, aufgestiegenen Zivilisationen und extraterrestrisch inkarnierten Seelen, die dir hier mit all ihrem Wissen, ihrem Licht und ihrer Liebesschwingung zur Verfügung stehen.

Ich habe gesprochen.

8
Esradnom

„Unterschätze nicht die Wichtigkeit kleiner Achtsamkeiten und Vorgehensweisen."

Ich bin Esradnom. Mit eurem Einverständnis werde ich die erste Lektion des Projekts „Der Neue Mensch" durchführen lassen und zur Niederschrift aufbereitet übermitteln.

Fokussiere deinen Atem in Höhe deines Solarplexus. In deinem Bauchraum, wenn du mit diesem Begriff eher umgehen kannst. Mit deinen Atemzügen und dem Fokus auf deinen Solarplexus bewirkst du eine energetische Zentrierung innerhalb deines Körpers. Alle Energie, aus der du bestehst, wird jetzt zu diesem Punkt hingezogen.

Beobachte, was mit der fokussierten und zentrierten Energie geschieht, während du weiterhin deine Aufmerksamkeit und deinen Atem in deinem Bauchbereich hältst.

Du kannst eventuell bereits beim ersten Üben oder vielleicht auch erst bei deiner wiederholten Anwendung spüren, wie alle Energien, die du in deinem Zentrum versammelst, nach einer gewissen Zeit der „Sondierung" in eine weitere Bewegungsform übergehen. All Deine Energie richtet sich in dein Inneres, belebt und erfüllt es und fließt sodann auf einem anderen Weg aus deiner Mitte wieder fort. Es entsteht ein permanenter Zufluss in dein Zentrum und ein ebenso harmonischer Wiederabfluss der Energien aus deinem Zentrum.

Mit dieser kurzen beziehungsweise kleinen Achtsamkeitsübung hast du bereits einen Schritt vollbracht, dir deiner heiligen Wurzeln bewusst zu werden.

Ich möchte meine Aussage für euch erläutern. Alle Energie, die dir zur Verfügung steht und in einem freien Maß deiner Absicht und Fokussierung folgen kann, ist eine Energie des Lebendigen, des Lebens und der Entsprechung von Liebe in dieser Welt. Alles Fließende, Sich-selbst-Regenerierende und Lichtvolle kann nichts anderes bewirken, als wiederum Licht und Liebe in seine Umgebung auszusenden. Allein durch diesen Energiefluss können Heilung, Erkenntnis und Erleuchtungszustände erreicht werden. Unterschätze daher die Wichtigkeit kleiner Achtsamkeiten und Vorgehensweisen nicht. So, wie du auch deine größeren Absichten, Ziele, Visionen und Träume respektieren, achten und wertschätzen solltest.

Für diese erste Lektion empfehle ich dir, sie mehrmals auszuprobieren und zu beobachten, wie du dich in verschiedenen Situationen wahrnimmst, welche Auswirkungen du beobachten kannst und welche Gefühle dabei in dir entstehen.

Ich habe gesprochen.

9
Merlin

„Der höchste aller Potenzialschlüssel wird in dir aktiviert."

Ich bin Merlin vom Rat des Dreigestirns[2] und Herr der Drachen, Hüter des höchsten Potenzials der gesamten Menschheit.

Als Botschafter des Dreigestirns bin ich eng verbunden mit der altägyptischen Gesellschaft. Diese Verbundenheit ist nicht nur energetischer Natur, sondern, wie du, Sabine, bereits weißt, waren Aspekte von mir unter anderem als Osiris inkarniert. Schon damals war es mein Wunsch, die Menschen zu begleiten, ihnen den Weg zu ihrer eigenen Göttlichkeit zu weisen und sie an ihre kosmische Herkunft zu erinnern.

In der damaligen Zivilisation mischten sich irdische, extraterrestrische und interuniversale Wesenheiten. Die dadurch entstehenden Unterschiede machten das Regieren nicht einfach, denn viele der Inkarnierten lebten, wenn auch zumeist unbewusst, ihre extraterrestrische Herkunft aus. Dies wurde deutlich, zum Beispiel in ihren Werten, dergestalt, wie sie ihre Mitmenschen betrachteten. So waren viele von einer Herkunft, in deren Gesellschaft es üblich war, in Hierarchien zu denken und zu leben. Andere waren es gewohnt, dass allen alles gehörte, dass jeder zu allem Zutritt hatte. Und wieder andere bestanden darauf, alles einzuzäunen und zu separieren.

---

[2] Das Dreigestirn sind die drei Sterne aus dem Gürtel des Orion: Alnitak, Alnilam und Mintaka.

So ähnlich erfahrt ihr es auch heute in eurer Gesellschaft. Die unterschiedliche Herkunft der menschlich inkarnierten Einzelwesen ist unter anderem ein Grund für den desolaten Zustand eurer Gesellschaft. Für die unterschiedlichen Strömungen, die unterschiedlichen Meinungen und Ansätze, wie eine dem Menschen dienliche Gesellschaft gestaltet werden sollte.

Da ich für alle Zeit Hüter des höchsten Potenzials bin von denjenigen, die zurzeit auf der Erde inkarniert sind, liegt es in meinem Bestreben, all jene Potenziale zu aktivieren von denjenigen, die sich mir zuwenden.

Das höchste Potenzial eines jeden Menschen, egal welcher Herkunft, egal welcher Hautfarbe, egal welcher Gesinnung, ist es, das Göttlich-All-Eine zu verkörpern – zum Wohle aller und zum Wohle von allem.

Während du diese Worte vernimmst, wird dieser höchste aller Potenzialschlüssel in dir aktiviert, falls er noch schlafend sein sollte.

Dies wird dazu beitragen, dass immer mehr Menschen eurer Gesellschaft dergestalt dienen, dass Einheit, Frieden, Vollkommenheit, Einklang und Verbundenheit gelebt werden und als universelle irdische Werte etabliert werden.

Ich danke dir für deine Bereitschaft, dich in den Dienst von Mutter Erde und ihren Geschöpfen zu stellen.

Ich habe gesprochen.

10
Nikositute

„Du hast keine Grenzen."

Ich bin Nikositute. Ich bin reine Freude, das Licht und das Leben und ich finde mich hocherfreut, dich begrüßen zu dürfen in der illustren Gesellschaft der Weltenwanderer. Diese ist eine ganz besondere Welt, die du dir für deine Inkarnation ausgewählt hast. Es gibt nicht viele ihrer Art. Die gute alte Lady Gaia ist Mutter vieler Zivilisationen und erfreut sich bester Gesundheit.

Ihre bunte Kinderschar ist ihr ein ewiger Quell der Freude, des Lachens, der Überraschungen, manchmal auch des Kummers und des Schmerzes. Jedoch überstrahlt ihre mütterliche Liebe alles und sie liebt all ihre Geschöpfe gleichermaßen.

Gehe nun mit mir auf eine Reise!

Gehe mit deiner Aufmerksamkeit von der Krone deines Hauptes durch deinen gesamten Körper hindurch zu deinen Füßen und aus deinen Füßen heraus.

Lass dir, wenn du magst, Wurzeln wachsen – ganz tief in Mutter Erde hinein.

Spüre ihre Empfangsbereitschaft, ihr Entgegenkommen, ihr Annehmen deines Wesens mit all deinen Aspekten und Ausprägungen!

Spüre ihre Wärme.

Spüre ihre Vibration.

Spüre ihren Puls. Ihren Klang. Ihren Geschmack.

Rieche die Erde.

Nimm all dies in dich auf.

Spüre die innige Verbindung, die ihr zueinander habt.

Nie würde deine Mutter dich aufgeben. Eure Verbindung ist ewig.

In der gemeinsamen Interaktion erschafft ihr eine Neue Erde, einen Neuen Menschen. In jedem Moment euer beider Existenzen entsteht Schöpfung, entsteht etwas Neues aus dem Alten.

Aus dem Bisherigen entsteht das Zukünftige und doch seid ihr immer nur jetzt.

Jetzt.

Diesem Moment wohnt eine große Kraft inne. Diese Kraft kannst du wie ein Licht oder ein Feuer in deinem irdischen Körper wahrnehmen. Jetzt.

Wenn du dieses Leuchtfeuer in dir ausdehnst und immer weiter ausdehnst – über deinen irdischen Körper hinaus – über all deine energetischen Körper und Auraschichten hinaus ausdehnst auf dein gesamtes Wesen, so spürst du einen winzig kleinen Teil dessen, wozu DU fähig bist.

Deine Schöpferkraft ist unbegrenzt.

Dein Leuchtfeuer ist unbegrenzt.

Deine Wirkung – auf dich selbst und auf andere – ist unbegrenzt.

Begrenzungen entstehen nur durch deinen menschlichen Verstand. Er ist der Zaun, der das Licht deines Leuchtfeuers dimmen kann. Doch nur solange, bis du die Tür des Zaunes öffnest.

Öffne nun diese Tür!

Sieh, was geschieht.

Lass sich dein Leuchtfeuer ausdehnen.

Weit über deine Grenzen hinaus.

Denn DU. HAST. KEINE. Grenzen.

Du bist grenzenlos.

Nimm nun dieses Leuchtfeuer und bewahre es in dir. In deinem Herzen. In deinem heiligen Raum.

Mit dem Wissen, dass du es jederzeit bewusst ausdehnen kannst.

Mit dem Wissen, dass es dir jeder Zeit auch unbewusst zur Verfügung steht – für deine Schöpfungen und für die gemeinsamen Schöpfungen derer, die dich begleiten.

Ich danke dir für deine Begleitung.

Gehe hin in Frieden.

Zweiter Teil

Bewusstwerdung.

11
Navastim

„Ich möchte dir die Werte der lemurianischen Gesellschaft näherbringen."

Ich bin Navastim. Großmeister des lemurianischen Rates und ehemaliges Mitglied der lemurianischen Heilergilde. Ich bin gekommen, um dir meine Aufwartung zu machen und dir meine Ehrerbietung auszusprechen.

Als Botschafter des lemurianischen Volkes möchte ich dir die Werte der lemurianischen Gesellschaft näherbringen.

Wir haben schon vor vielen zehntausenden von Jahren unsere irdische Hülle abgestreift, die wir auf Gaia bewohnten. Vor dieser Zeit lebten wir sowohl im Einklang mit unserem Göttlichen Selbst als auch im Einklang mit allen Geschöpfen auf Gaia sowie mit Gaia selbst. Unsere Gesellschaft formierte sich aus sich selbst heraus. Es gab nichts, was ihr als Regierung bezeichnen würdet.

Die Einzelwesen unserer Gesellschaft haben sich, um die Gesellschaft in eine Richtung zu bewegen, zu verschiedenen Gemeinschaften zusammengeschlossen. So war ich beispielsweise Mitglied der lemurianischen Heilergilde, die sich mit der Weiterentwicklung des lemurianischen Heilwesens befasste. Andere waren zur gleichen Zeit Mitglied des Rings der Seherinnen oder der Gemeinschaft, die sich um die landwirtschaftliche Weiterentwicklung kümmerte, wie zum Beispiel welche Frucht angebaut werden könnte, welche Wasserbedarfsmengen für alle zur Verfügung stehen sollten. Und so gab es viele verschiedene Gemeinschaften, die sich um das Gemeinwesen aller kümmerten.

Dadurch, dass es natürlich war, in mehreren Gemeinschaften tätig zu sein, war immer Transparenz und Interkommunikation[3] gewährleistet. Diese Interkommunikation sorgte dafür, genauso wie regelmäßige gemeinsame Versammlungen, dass alle gemeinsam in dem gesellschaftlichen Entwicklungsprozess involviert waren. Wir haben es nicht erlebt, dass Einzelne unseres Volkes die alleinige Macht oder Herrschaft über einen Bereich oder die Gesamtgesellschaft anstrebten.

Für euch mag sich diese Art der Gesellschaft als utopisch anfühlen, jedoch ist dies keine Utopie, sondern war Realität. Dies war dem Umstand geschuldet, dass unsere Schwingungsfrequenz schon während der inkarnierten Zeit auf Gaia, im Vergleich zu der euren jetzt, um ein Vielfaches höher war. Dies löschte automatisch niedere Beweggründe aus unserer materiellen Grundsubstanz und damit aus unserem Bewusstsein.

Die Menschheit strebt diesem Ideal nach und bewegt sich in dessen Richtung. Gleichwohl wird es noch viele Jahre - um nicht zu sagen Jahrhunderte bis Jahrtausende - andauern, bis sich die Menschheit auf einem Schwingungsniveau befindet, welches unserem damaligen Schwingungsniveau gleicht. Diese hohe Anzahl an Jahren soll euch nicht entmutigen, wir wollten sie jedoch auch nicht verschweigen, da sich viele von euch fragen, wann die Menschheit endlich in Frieden leben wird.

Wir können euch versichern, dass Frieden auch schon jetzt möglich ist.

Weltweiter Frieden beginnt in jedem Einzelnen von euch. Wenn wir den Frieden in euch als kleinen Frieden bezeichnen und weltweiten Frieden als großen Frieden, dann ist es möglich, dass innerhalb von wesentlich kürzerer Zeit aus vielen kleinen Frieden ein großer oder ein hoher Frieden wird. Schwingungserhöhung ist ein sehr einfacher Weg, diesen hohen Frieden zu erreichen. Weitaus schwieriger

---

[3] Interkommunikation: gemeinschaftliche Kommunikation.

erscheint uns der Weg, den viele Einzelwesen eures Kollektivs zur Zeit eingeschlagen haben.

Schwingungserhöhung führt automatisch zu einer Änderung eures Bewusstseins, eurer Wahrnehmung und dadurch zur Änderung eures Handelns, eures Manifestationsvolumens, dergestalt, dass das, was ihr als erstrebenswert empfindet zu materialisieren, sich auch materialisiert.

Viele folgen der materiellen Maxime der Manifestation, indem sie Materie zu Materie geben. Diese entgeistigte Materie entspricht dann oft nicht dem, was ihr als wünschenswert anstrebt. Wenn ihr Materie zu Materie gebt, fehlt das göttlich-geistige Element, das durch alle eure hohen Werte bestimmt wird. Daher möchten wir euch vorschlagen, dass ihr euch bei euren Manifestationsbestrebungen immer zuerst mit eurer göttlich-geistigen Führung vereint, diese bewusst durch euren materiellen Körper fließen lasst, um aus den höchsten Schwingungsfrequenzbereichen zu empfangen und zu materialisieren.

Schon früh habt ihr die Einheit von Körper, Geist und Seele entdeckt. Wir gehen noch darüber hinaus und fügen dieser Einheit von Körper, Geist und Seele die Einheit des Göttlichen hinzu. Dieser Einklang, der dadurch entsteht, ist von höchster, reinster Schwingungsfrequenz und veranlasst euch, nur in höchster Schwingungsfrequenz zu manifestieren.

Die Ergebnisse sollten dadurch wesentlich mehr euren Wünschen entsprechen. Wir möchten euch ermutigen, auf diesem Weg weiter voranzuschreiten und stellen euch dazu ein lemurianisches Matrixfeld zur Verfügung. Es ist dies ein Manifestations- und Schöpfungsfeld, das wir nun mit deiner Erlaubnis in deinem Energiefeld verankern und auf das du jederzeit Zugriff hast.

Jedes Mal, wenn du aktiv an dieses Feld denkst oder es aktiv anfragst, wird es dir für deine göttlichen Schöpfungen zur Verfügung stehen. Es ist nicht möglich, dieses Matrixfeld für niedrigschwingende Manifestationen zu nutzen.

Es wird sich diesen entziehen, so wie sich alle Felder der lemurianischen Schöpfungsmatrix niederfrequenten Absichten entziehen.

Die Arbeit mit der lemurianischen Schöpfungsmatrix und ihren Lichtkristall-Feldern war für uns ein exorbitant wichtiger Meilenstein während unserer Aufstiegsgeschichte. Da sie uns ermöglichte, in wesentlich kürzerer Zeit unsere Schwingung anzuheben als ohne sie.

Daher haben wir uns entschlossen, diese Lichtkristall-Felder eurem Aufstiegsgeschehen zur Verfügung zu stellen. So sollte sich auch der Zeitraum, in dem ihr den großen Frieden erreicht, wesentlich verkürzen.

Es ist mir eine große Ehre, dir und euch weiterhin zur Verfügung zu stehen und euch zu begleiten.

Ich ziehe mich nun zurück.

12 Soluthada von der marsianischen Schwesternschaft

„Ich bin gekommen, um in euch die Neue Frau zu erwecken."

Ich bin Soluthada und bin gekommen mit meinen Schwestern vom Mars, um in euch die Neue Frau zu erwecken.

Viele Äonen lang durch viele Inkarnationen hindurch habt ihr erfahren, wie es ist, euren Ausdruck zurückzuhalten. Ihr habt Unterdrückung in jedweder Facette gelebt, erlebt, vereinnahmt und dem kollektiven Gedächtnis hinzugefügt. Unter dieser Gedächtnisleistung sind tausende von Inkarnationssequenzen der weiblich Geborenen beeinflusst worden.

Jetzt ist es soweit, dass alle Facetten gelebt worden sind und es nicht länger notwendig ist, diese Illusionsfrequenz aufrecht zu erhalten. Wir bedanken uns für den Beitrag an das Kollektiv und möchten euch nun von dem kollektiven Gedächtnis entbinden. Durch die Erfahrung all dieser Frequenzen seid ihr nun in der Lage, eure Weiblichkeit auf andere Art und Weise auszudrücken, zu erleben und zu empfangen.

Ihr könnt es euch so vorstellen wie eine schwere Decke, die auf eurem wahren Wesenskern ausgebreitet war. Diese Decke werden wir nun lupfen und euren wahren Wesenskern wieder der Sonne, dem Licht preisgeben.

Das, was durch die Jahrtausende lange Erfahrung verdeckt worden ist, ist nicht verloren. Das Feuer der sexuellen Freiheit lodert in euch. Wir werden dazu euer Sexual-Chakra unterstützen und durchströmen es nun mit der Energie unserer matriarchalischen Schwesternschaft. Dies entfesselt eine sexuelle Energie, die sich als starke Kraft in euch körperlich bemerkbar machen wird.

Diese Energie ist von innen nach außen gerichtet. Es mag euch wie eine kleine Explosion vorkommen, wenn sich nun diese Energie in eurem Energiesystem ausbreitet.

Dieser Energieball, der sich um euer Sexual-Chakra bildet, wird noch mehr Raum einnehmen. Wir wollen euren Körper und euer gesamtes Energiesystem jedoch nicht überfordern und werden deshalb solange an eurer Seite bleiben, bis diese Energie harmonisch in euer System integriert ist und sich ungehindert ausbreiten kann.

Dies wird jedoch nicht länger als einen Tag in Anspruch nehmen. Mit Sonnenaufgang des nächsten Tages werdet ihr eine deutliche Veränderung wahrnehmen.

Wir danken euch für eure Bereitschaft, mit der marsianischen Schwesternschaft zu wirken und für euer Gefolge diesen großen Schritt zu gehen. Ihr müsst wissen, dass nicht jede bereit ist, diese Energie zu empfangen und daher freut es uns besonders, dass ihr euch für uns geöffnet habt und bereit seid zur Wiedererweckung der Neuen Frau.

Es gab schon vor euch inkarnierte weibliche terrestrische Geborene, die ebenso diesen Prozess durchlaufen haben. Jedoch waren derer weniger als Finger an euren Händen. Maria Magdalena und Isis sind zwei von ihnen. Auch sie waren Mitglied der marsianischen Schwesternschaft und empfänglich für ihre Energie.

Jetzt dürfte sich die Energie soweit in eurem Körper normalisiert oder angeglichen haben, dass ihr sie gut aushalten könnt. Wir werden euch begleiten und stehen für weitere Erweckungsschritte zur Verfügung.

Wir danken euch und ziehen uns nun zurück.

13
Esradnom

„Ich helfe euch, eure göttlichen und irdischen Aspekte miteinander zu verbinden.“

Nimm ein oder zwei Atemzüge in deinem ganz persönlichen Rhythmus. Verändere nichts. Nimm dich einfach nur wahr. Lenke die nächsten Atemzüge mithilfe deiner Aufmerksamkeit oder deiner Absicht hinunter in dein Wurzel-Chakra und noch tiefer hinab bis in dein Fuß-Chakra – und noch tiefer hinab bis zu Mutter Erde. Wende deinen Atem noch weiter hinab bis zum Mittelpunkt von Mutter Erde oder deren weitest entfernte atmosphärische Ausdehnung. Lass dein ganzes Sein tiefer hineinsinken in diesen irdischen Ruhepol.

In diesem wahrlich vertieften Zustand wird es dir möglich, all deine körperlichen Empfindungen, Wahrnehmungen, Reaktionen, Gelüste, Wünsche, Sehnsüchte intensiv und unverstellt wahrzunehmen. In diesen Zustand hinein empfangen wir jetzt aus der geistigen Welt die hilfreichsten und besten Energien für die aktuelle Themenvielfalt.

Ich bin Esradnom. Meine letzte irdische Inkarnation hatte ich in der Zeit des alten Ägyptens. Aus dieser Zeit stammt der Name, den ich mitgenommen habe bei meinem Aufstieg in die höheren Sphären und Dimensionen.

Euer Ruf nach einer veränderten Frau, einer kreativschöpferischen und geschlechtlich ungehinderten Entfaltung, hat mich zu euch geführt. Das Wissen und die Informationen, mit denen ich euch dienen kann, habe ich den alten irdischen Kulturen entnommen. Meine Erfahrungsvielfalt beruht auf meiner irdischen Tätigkeit als Arzt, Heiler, Weiser und Begleiter vieler verschiedener Paare, Menschen und menschlichen Entitäten.

Ich kann euch über die Pharaonen des alten Ägyptens berichten, dass diese tatsächlich nur zum Teil menschlichen Ursprungs waren und sie wahrhaft göttliches Licht in sich trugen, um es in der Welt zur Verbreitung zu bringen. Aus meiner Arbeit für die Pharaonen und Königshäuser und mit dem einfachen irdischen Volk ist in mir eine Symbiose an Wissen entstanden, die mir für euch jetzt dienlich erscheint.

Alles Körperliche will ebenso erlebt, vollzogen, umgesetzt und realisiert werden, wie alles Göttliche, das in euch schlummert oder dauerhaft strömend in euren Geist, euren Körper und eure Emotionen dringt. Das Göttliche und Irdische sind dabei nicht immer einer Meinung. Ich möchte euch daher helfen, diese beiden Aspekte zu verbinden auf eine für euch nützliche und zielführende Art und Weise.

Dafür synchronisiere ich als Erstes all eure göttlichen Aspekte mit den zurzeit in euch vorherrschenden körperlichen Schwingungen.

Im zweiten Schritt harmonisiere ich alles in eurem Körper Wahrgenommene mit den irdischen Schwingungen eures Heimatplaneten.

Im nächsten Schritt harmonisiere ich die materiellen und geistigen Schwingungen miteinander. Sie werden zusammengeführt, um sich gegenseitig zu bedienen, befruchten, zu erwecken und zu erfüllen.

Diese Vereinigung ist ebenso tantrisch, sexuell, körperlich, geistig, emotional und seelisch, ekstatisch. Wie eine vollendet befreite körperliche Vereinigung. Die höheren Schulen des Tantra, Kamasutra und vieler weiterer Lehren der körperlichen Vereinigungen sind unter anderen daraus hervorgegangen, dass das Göttliche in euch ebenso befriedigt werden möchte, wie das Körperliche. Einen Weg zu finden, beides miteinander zu vereinen, um gleichwert nebeneinander beides zum lebendigen Ausdruck finden lassen zu können, war das Ziel dieser Lehren. Da sie viele Male von ausschließlich menschlich Geborenen weitergereicht und von Generation zu Generation überliefert worden sind, ist einiges der göttlichen Aspekte verloren gegangen. Daher habt ihr bisher die umfassende Befriedigung und Lusterfüllung des Geistigen und Körperlichen für euch nicht in den überlieferten Lehren finden können.

Auch hier seid ihr durch eure Vorreiterposition dazu aufgefordert, neues, nicht dagewesenes Wissen in die Welt zu holen. Hilfreich ist dabei die Verbindung mit meinem individuellen Erfahrungswissen und dem Erfahrungswissen der Pharaonen, die ich begleitet habe. Ich habe sie unter anderem darin geschult, Lusterfüllung und Befriedigung über den seelisch-geistigen Weg und den körperlich-emotionalen Weg miteinander zu verbinden.

Die überlieferte Anzahl von Haremsfrauen und Haremsdienern, die sowohl dem männlichen als auch weiblichen Göttergeschlechts-Angehörigen zur Verfügung gestanden haben, resultierte unter anderem daraus, dass nicht viele Menschgeborene dazu fähig waren, in die höheren Bereiche der kosmischen Erfüllung vorzudringen. Im späteren Verlauf der Zeitgeschichte sind diese Harems leider nicht mehr im Sinne dieser göttlich gewollten Inspirationsquelle genutzt oder entfremdet worden.

Ich werde euch über weitere Channelings mein Wissen zuteilwerden lassen und euch darüber hinaus für eure Fragen und eine spirituell ekstatische Beratung für - in euren Erdenjahren gerechnet - ein halbes Jahr zur Seite stehen.

Ich habe gesprochen.

14
Solana

„Wir entfesseln das Feuer eurer Weiblichkeit."

Ich bin Solana vom Geschlecht der Sonnen-Amazonen. Ich bin gekommen, um in euch die männliche Weiblichkeit erneut zu aktivieren.

Uns ist es ein großes Bedürfnis, den terrestrisch weiblich Geborenen beizustehen und ihre weibliche Kraft in ihrer Vollständigkeit erwecken zu helfen. Wenn ihr es erlaubt, stehen meine Schwestern nun bereit, um diejenigen Energien in euren materiellen und energetischen Körpern auszugleichen und zu entfachen, die für ein uneingeschränktes Ausleben eurer vollkommenen Weiblichkeit zuträglich sind.

Wir entfesseln nun das Feuer eurer Weiblichkeit. Es beginnt in eurem Sexual-Chakra mit einer Flamme der Begierde und des Wunsches nach der Vereinigung von männlicher und weiblicher Energie.

Es ist uns ein Bedürfnis, euch mitzuteilen, dass der Wunsch und die Begierde nach sexueller Vereinigung ein euch immanentes Bedürfnis ist. Dies ist natürlich. Es ist nichts schlecht daran und nichts, was unterdrückt werden sollte. Das Ausleben eurer sexuellen Begierden ist ein Fundament eurer persönlich-geistigen Entfaltung. Denn auch dieses ist Ausdruck eurer göttlichen Existenz.

Das Feuer ist entfacht.

Wir geben nun weitere Energie in dieses Feuer, auf dass es sich ausdehne und nach und nach all eure irdischen Chakren mit einschließe.

Diese Erweiterung und Wiederentfachung eures sinnlich-weiblichen Feuers wird euch dabei dienlich sein, eure Göttlichkeit in eurem Körper zu erfahren und auszuprobieren.

Wir möchten darauf hinweisen, dass eure irdische Existenz unvollständig ist ohne dieses weibliche Feuer eurer Sexualität. Wenn der Wunsch nach Berührung und nach Vereinigung lange Zeit unterdrückt wird, wird auch die geistige Entwicklung behindert. Es entsteht ein Ungleichgewicht zwischen irdisch-menschlicher und geistig-göttlicher Entfaltung und Erfahrung. Dieses Equilibrium wiederherzustellen, sind wir zu euch gekommen.

Es ist essentiell, dass neben einer geistigen Bewusstwerdung auch der Körper selbst eine materielle Bewusstwerdung erfährt. Dies zu erreichen, gibt es verschiedene Vorgehensweisen. Jedoch führen alle Vorgehensweisen letzten Endes zur männlich-weiblichen Vereinigung.

Alle anderen Vereinigungsmöglichkeiten haben nicht die gleiche kreative Kraft wie die männlich-weibliche Vereinigung. Bei der weiblich-weiblichen und der männlich-männlichen Vereinigung übernimmt daher in der Regel ein Mensch die weiblichen oder männlichen Anteile. Sie sind jedoch immer durch die eigene Männlichkeit oder die eigene Weiblichkeit gefärbt, sodass die Vereinigung nicht die Kraft hat und die Klarheit, die einer weiblich-männlichen Vereinigung immanent ist. Dies dient lediglich zu eurer Information. Es liegt darin keine Wertung, denn jede Seele wählt, was sie erfahren möchte.

Das sexuelle Feuer hat nun all eure Chakren erreicht und lodert darüber hinaus. Ihr werdet dies deutlich in eurem Körper wahrnehmen. Außerdem wohnen in diesem Feuer die männliche Kraft, die Stärke, der Mut, die Beharrlichkeit und die Unabwendbarkeit eures inneren Ausdrucks. Die Zielstrebigkeit und Unbeugsamkeit eurer beider Energien wird dadurch gestärkt.

Wir werden auch in Zukunft diesen Prozess begleiten und stehen euch weiterhin zur Stärkung und Aktivierung zur Verfügung.

Wir danken euch für eure Bereitschaft, eure irdischen Körper wiederzuerwecken und dem hinzugeben, das zu erfahren ihr gekommen seid.

Wir haben gesprochen.

15
Zeda

„Euer Ruf dringt weit ins Universum. Ihr werdet gehört."

Ich bin Zeda. Bevor inhaltlich weitere Aktivierungen und Informationen an euch weitergeleitet werden, möchte ich, dass ihr Folgendes an-erkennt und in euer Tagesbewusstsein aufnehmt.

Durch eure göttliche Herkunft ladet ihr aus verschiedenen, weit entfernten und besonders spezialisierten SternenTeams extraterrestrische Wesenheiten, geschulte und ungeschulte Helfer ein. Euer Ruf dringt so weit ins Universum vor, dass er gehört wird – auch am quasi anderen Ende. Werdet euch dieser Reichweite bewusst. Es gibt keinerlei Grund an einer Reichweite innerhalb der Menschheit zu zweifeln, wenn allein euer Gedanke und die Absicht der Veränderung das gesamte Universum durchdringen.

Durch eure besonders hohe Reichweite macht ihr allen anderen Sternenvölkern zum Geschenk, an eurer Erfahrung teilzuhaben, aus dem morphogenetische Feld, euren Gedanken oder Auramustern zu lesen, was ihr erfahrt in dieser speziellen Frage. Aktuell erlebt ihr zur Frage des Männlichweiblichen und des Weiblichmännlichen eine für irdische Verhältnisse neue Dimension der Erfüllbarkeit!

Darüber wird Esradnom weitere Wort zu Euch sprechen.

Diese neue Erfahrung teilt ihr durch eure Kontakte in alle Sternenregionen, auf allen Frequenzen und in allen Schwingungsfarben. Ihr ermöglicht, weit entfernten Sternenvölkern zu lernen, ohne direkt vor Ort zu sein, ohne selbst Inkarnierte aus ihrer Seelenfamilie hierher in die irdischen Regionen zu entsenden. Ohne den Umweg der Verkörperung erlaubt ihr ihnen, euch zu studieren oder wahrzunehmen. Jede Frage, die ihr stellt, jeden Schritt, den ihr machen möchtet, jede Aussicht auf Veränderung ist ein Geschenk an das Universum - ganz wörtlich und nachvollziehbar!

Werdet euch eurer göttlichen Herkunft bewusst.

Werdet euch bewusst, welch göttliche Frequenzen durch euch inkarniert sind und über die Erde wandeln können. Seid euch bewusst, mit wie viel göttlicher Liebe und Lichtfrequenz ihr jeden einzelnen Erdenbürger berührt, der sich in eurer Nähe oder Ferne aufhält. Werdet euch bewusst, dass ihr in eurem Umkreis alles zum Erstrahlen bringt.

Werdet euch bewusst, dass für eure Weiterentwicklung und weiteren Schritte ANDERE Maßnahmen, andere Aktivitäten und Hilfestellungen notwendig sind als für die Entwicklung ANDERER irdischer Charaktere.

Werdet euch bewusst, dass dies keine Strafe, Beeinträchtigung, kein Hindernis oder Manko ist.

Werdet euch bewusst, dass dies ein Geschenk an alles Lebendige ist, das euch umgibt, sowie alles in der Ferne befindliche körperlich oder nicht körperlich inkarnierte Leben dieses Universums.

Ich habe gesprochen.

Esradnom

Ich bin Esradnom. Gestern habe ich euch, Ellen und Sabine, darüber aufgeklärt, dass die Pharaonen ebenfalls göttlich Geborene waren, wie ihr es heute seid. Ich gehe davon aus, dass bisher niemand in eurer Gegenwart über eure Person als Pharao, Pharaonin oder gottgleich Geborene gesprochen hat. Aus den menschlich geschichtlichen Überlieferungen sind euch Gottesähnlichkeiten nur zugetragen worden im Zusammenhang mit Jesus Christus[4], Maria, den aufgestiegenen Meistern und den Aposteln der alten Zeit.

Über die Geschichte Ägyptens ist überliefert, dass die Pharaonen sich selbst für gottgleich Geborene gehalten haben. Niemand hat jedoch überliefert, dass sie tatsächlich diese Energien in einem Körper auf die Erde gebracht haben. Ähnliches geschieht euch. Ihr habt dazu den Weg des langsamen Erwachens gewählt. Ihr seid euch von Geburt an NICHT zu jeder Zeit und in jeder Lage bewusst gewesen, welche göttlichen Energien euch innewohnen.

Diese Erkenntnis ist erst nach und nach und Schritt für Schritt in euch herangereift und zutage getreten. Auch heute seid ihr immer wieder versucht, dies zu relativieren oder kleiner darzustellen, als es tatsächlich ist. Diese Verhaltensweise entspringt eurem Wunsch, andere nicht zu brüskieren, zu übervorteilen oder sich selbst falsch Zeugnis abzulegen.

Ihr dürft JETZT diese Befürchtungen abgeben und unserem gemeinschaftlichen Energiestrom aller anwesenden Helfer überantworten zur vollständigen Auflösung und Bereinigung.

„Ja. Ich übergebe alle Befürchtungen."

Durch diesen Akt der Selbstbereinigung und Selbstanerkenntnis werden sich eure Wahrnehmungen über die Zusammenhänge auf der irdisch-holografischen Lernplattform verändern. Eure Selbstwahrnehmung wird sich anpassen.

Sie wird nicht dauerhaft versuchen, etwas ans Licht zu bringen, was bereits sichtbar ist.

Sie wird nicht mehr versuchen, etwas zu verstecken, was nie versteckt werden musste.

---

[4] Jesus Christus und Jeshua Ben Josef werden gleichmeinend von der geistigen Welt verwendet.

Eine neue Form der Selbstfreiheit wird die Folge sein.

Mit diesem neuen Hintergrundwissen wird euch nochmals auf andere Weise verständlich, dass der rein körperliche ekstatische Liebes- oder sexuelle Austausch für euch nicht annähernd oder ausreichend befriedigend und erfüllend erlebt werden kann, da auch das Göttliche in euch Erfüllung anstrebt – so, wie auch euer Körper sich nach seiner eigenen individuellen Erfüllung sehnt.

Darüber habe ich euch bereits berichtet, dass die Harems der alten Pharaonen unter anderem zu diesem Zweck gegründet, initiiert oder ins Leben gerufen wurden. Sie hatten einen heiligen Zweck. Die darin beherbergten Menschen waren im besonderen Maße dazu fähig, sich der körperlichen oder seelischen Ekstase hinzugeben und haben mit dieser Fähigkeit den Pharaonen ein Tor zu eigenen Erfüllung geöffnet. Sie waren hoch angesehen, gut versorgt und lebten bis auf den Wohnort freibestimmt. Die späteren Überlieferungen zur Verwendung der Haremssklaven ergeben sich bereits aus dem Wort „Sklaverei". Bis dahin war es einem Adelstitel gleichzusetzen, in den Harem des Pharaos berufen zu werden.

Jene ersten Menschen der wahrhaft göttlichen Pharaonen hatten selbst ein sehr hohes Bewusstsein, sodass sie die geistig-seelischen Sphären der ekstatischen Erfüllung überhaupt erreichen konnten. Im Zusammenhang mit den göttlichen Energien der Pharaonen war dies erforderlich, um die Psyche, den Geist oder Körper des Haremsadligen nicht zu beschädigen. Gleiches gilt für diejenigen Haremsdiener und Haremsfrauen, die der rein irdisch-körperlichen Lusterfüllung und Sinnenekstasen dienten. Jedem der Haremsbewohner war bewusst, dass durch seine Dienste ein höheres ehrenwertes Ziel verfolgt wurde.

Dazu dürft ihr immer mehr erkennen, dass JEDE Form von Erfüllung, sei sie körperlich, seelisch, psychisch, emotional, rational, geistig, spirituell oder ganz anders geartet, ein wesentliches Lebenselixier für jede inkarnierte Seele ist. Und ich spreche tatsächlich für JEDE inkarnierte Seele.

Je mehr über diese Erfüllungsaspekte in den Erdengeborenen bewusst wird – und ich rede hierbei vom Tagesbewusstsein und nicht vom unterbewussten Erahnen und Spüren –, je mehr dies also ins Tagesbewusstsein vordringt, wird es für alle anderen Menschen auch immer selbstverständlicher werden, immer mehr Erfüllung anzustreben. Sei es in ihren Berufsleben, in der Familie oder auf körperlich-gesundheitlicher Ebene. Dabei wird immer klarer werden, dass seltsame Methoden der achtlosen körperlichen Veränderung keinen Fortbestand in dieser Welt haben und von den nächsten Generationen abgelehnt werden werden; dass verschiedene medizinische Vorgehensweisen keineswegs hilfreich für die Weltbevölkerung sind; dass Ernährung und Bewegung einen völlig neuen Stellenwert im Leben eines jeden Einzelnen erhalten werden; dass das gesamte Gesellschaftssystem der politisch-wirtschaftlichen Orientierung sich dramatisch verändern wird. Dies alles entsteht aus dem Bewusstsein für die eigene Erfüllung und deren Respektabilität.

Ich habe gesprochen.

16
Lady Gaia

„Mein Wissen beschleunigt euren Weg."

Ich bin Lady Gaia. Seit vielen Äonen, Generationen und Zivilisationen stelle ich mein Bewusstseinsfeld und meine dreidimensionale Gestalt unzähligen Wesenheiten zur Verfügung, um ihre irdisch-materielle Erfahrungswelt zu vervollkommnen.

Ein sinnlich-objektbezogenes Erlebnisfeld ermöglicht es, aus der feinstofflichen Lebensform heraus eine in beide Richtungen übersinnliche Erfahrung zu machen. Aus der feinstofflichen Welt heraus betrachtet, übersteigt es die Sinne, alles körperlich in Freude, ebenso wie in Leid zu erspüren und zu erleben. Aus der dreidimensionalen materiellen Sichtweise heraus ist es eine übersinnliche (die Sinne übersteigende) Erfahrung, dass über den Körper hinaus Geist, Bewusstsein, Seele und viele andere Energiefelder ebenso zum individuellen persönlichen Wesen gehören wie alles Irdisch-Berührbare.

Ich selbst habe verschiedene dieser Prozesse durchlaufen. Ich habe mich aus einer Eint-Dimension, aus dem Nullpunktfeld in die Eint-Dimension über Zweidimensionalität hin zur drittdimensionalen Hologramm-Matrix erhoben. Dabei habe ich mehrere Bewusstseinssprünge durchlebt und die jeweiligen Bewohner oder Teilhaber meines Energiefeldes ebenfalls in eine nächsthöhere Schwingung versetzt.

Die Menschheit hat bereits mehrere Bewusstseins- und Entwicklungssprünge mit mir gemeinsam vollzogen. Ein weiterer Bewusstseins- und Schwingungswandel steht direkt bevor und ist in wesentlichen Teilen bereits vorbereitet.

Die Menschheit versucht aktuell, einen Klimawandel zu verhindern, der jedoch nur Ausdruck meiner individuellen Wachstums- und Entwicklungsprozesse ist. Ein empfehlenswertes oder klügeres Vorgehen wäre für euch, sich dem Klimawandel hinzugeben oder sich ihm anzupassen, indem ihr euch erlaubt, zu improvisieren, zu spüren, kreative Lösungen zu finden und neue Wege zu gehen. Um es mit euren Worten zu sagen: Die alten Bilder, wie es zu sein hat, sprengen.

Es gibt kein Verschulden von menschlicher Seite für die Veränderung in meiner Temperatur, Energie, meinem Wasser, meiner sonnenatmosphärischen[5] Verteilung von Ressourcen. Jedoch beziehen sich alle sogenannten umweltschädlichen Aktionen der Menschheit auf den Menschen selbst. Es schadet seiner eigenen Bewusstseins-, Herzens- und Seelenentwicklung. Die Industrialisierung entfremdet Menschen voneinander, trennt Bevölkerungsgruppen, die vereint sein könnten und trägt dazu bei, dass Denkmuster des Kleinhaltens unnötig lange weiter bestehen.

Wenn ihr meinen Rat empfangen möchtet, rate ich euch zur Dezentralisierung von Industrie, Wirtschaft, sogenannter Politik und vieler anderer sogenannter globaler Prozesse.

Der Mensch ist ein Individuum, der sich in Gruppen, die seiner Schwingung entsprechen, am besten entwickeln kann. Ich habe dies bei vielen anderen Zivilisationen, denen

---

[5] Sonnenatmosphärisch beschreibt Auswirkungen oder Effekte, die direkt durch die Sonnenatmosphäre beziehungsweise ihre Strahlung entstehen. Sonneneruptionen können zum Beispiel zu erhöhten Aktivitäten von Neutrinos innerhalb der Erde und dadurch zur Erwärmung (unterhalb) der Erdkruste führen und damit auch zu Vulkanaktivitäten, Erdbeben, Verschiebungen der Kontinentalplatten. Auch das sogenannte Ozonloch wird durch sonnenatmosphärische Effekte beeinflusst. Mit der Sonnenatmosphäre verknüpft sind ebenfalls unser Erdmagnetfeld und vieles weitere.

ich Herberge gab, beobachten können. Eure Vorgehensweise hat sich nicht bewährt.

Ich möchte euch einladen, meinen tiefen inneren Kern zu spüren und zu erfahren.

Lenke dazu deine Aufmerksamkeit in deinen Herzraum und atme deinen Atem in diesen Bereich hinein. Lenke jeden weiteren Atemzug gemeinsam mit deiner Aufmerksamkeit tiefer in deinen Körper hinunter. Folge dabei deinem eigenen Rhythmus und Empfinden.

Mit jedem weiteren Atemzug kommst du mit deiner Aufmerksamkeit und deinem Lebensfluss (Atem) näher an meine dreidimensionale Präsenz.

Sobald du mit deinem Atem und mit deiner Aufmerksamkeit über deinen Körper hinaus in meine direkte Hülle, meinen Ätherkörper oder meine dreidimensionale Materie eintauchst, wirst du spüren, wie meine Energien dich durchströmen. Dies tun sie auch zu allen anderen Zeiten, Gelegenheiten, Situationen und in allen verschiedenen Umständen. Durch das Lenken deiner Aufmerksamkeit wird es jedoch erst in deinem Bewusstsein ein be-greifbares Erleben.

Du kannst jetzt, wo unser direkter Kontakt für dich spürbar ist, deinen Atem in Richtung meines Zentrums lenken. Nimm dir dabei die Zeit und Ruhe oder den Rhythmus, der dir am meisten entspricht. Der Rhythmus deines eigenen Atems oder Herzschlages ist dabei ein guter Taktgeber.

Auf diese Weise gelangst du mit jedem deiner Rhythmen und Takte immer näher zu meinem inneren Zentrum. Dieses innere Zentrum ist kein geografischer oder räumlicher Ort. Er beschreibt den Wesenskern meines Bewusstseins, der sich ebenso wandelt wie meine körperliche Erscheinung.

Du kannst deine Ankunft in meinem Wesenskern daran erkennen, dass der Energiestrom, der dich ernährt und durchwebt, sich fast nicht mehr unterscheidet von deinem eigenen Energiestrom.

Du bist jetzt im Zentrum dessen angelangt, was deinen Körper ernährt, was in Korrespondenz mit all deinen Zellen, DNA-Strängen, Atomen, Molekülen, Körperflüssigkeiten, Sinnenempfindungen, Nervenimpulsen und deinen Meridianen, Nadis und Energiebahnen steht.

Diese Form der Verbindung mit meinem Wesenskern ist in höchstem Maße regenerativ, heilsam, aufrichtend, reinigend und erweckend. Im bisherigen Glauben der Menschheit war es verankert, dass ausschließlich die Beschäftigung mit dem Höher-Geistlichen zu einem Erwachens- oder Erweckungszustand führt. Um deinen Körper ebenfalls in diese Erweckung zu führen, ist der Kontakt mit meinem Wesenskern der beste, schnellste und einfachste Weg.

Aus diesem Grunde teile ich hier dieses Wissen mit euch. Es wird euren Weg beschleunigen. Es wird euch ermöglichen, mit meiner Entwicklung Schritt zu halten. Es wird euch körperlich wahrnehmbar machen, wie euer Zusammenleben mit mir heilvoller gestaltet werden kann, wie ihr daraus Nutzen ziehen könnt, meine Entwicklung ebenfalls selbst zu durchlaufen. Es wird euch neue Perspektiven aufzeigen, wie ihr gewinnbringend mit den Ressourcen, die durch meine Existenz entstehen, umgehen könnt, wie viel weniger maschinistisch Energiegewinnung vollzogen werden kann und wie viel leichter das Kreieren, Materialisieren und Erschaffen von Gütern, Gegenständen, Produkten, Gebäuden und vielem anderen mehr erfolgen kann.

Euer Körper ist ebenso heilig, wie euer Geist. Euer Körper wird nicht zufällig als Tempel eurer Seele bezeichnet. Eure körperliche Erscheinungsform ist nicht von ungefähr Ausdruck eurer Seelen- und Geisteslandschaft. So, wie ich mein Äußeres verändert habe infolge meiner Bewusstseins-, Seelen- und Geistesentwicklung, so verändert sich auch euer Körper im Zuge der Veränderung eurer Seele, eurer Persönlichkeit, eures Charakters, eures Denkens, Handelns und Fühlens.

Beides ist unabdingbar miteinander verflochten. Euer Körper existiert nur, weil eure Seele sich dazu entscheiden hat. Eure Seele hat nur deshalb ein Gefäß, weil sich euer Körper für sie geöffnet hat. Ihr könnt euch dieses Bild erleichtern, indem ihr euch den Körper als das weibliche Prinzip visualisiert. Jetzt lasst den Geist das männliche Prinzip darstellen. Die Vereinigung von Körper und Seele ist wie die Verschmelzung von männlichem und weiblichem Körper und beruht auf Gegenseitigkeit.

Die Materie, aus der euer Körper entsteht, wird unter anderem von mir zur Verfügung gestellt. Ich ernähre eure Zellen mit den stofflichen Komponenten, mit Vitaminen, Mineralstoffen, Supplementen und den anderen berührbaren Bestandteilen eurer Nahrung und sorge auf diese Weise dafür, dass der empfangende Teil eurer Existenz gut ernährt ist.

So ernähre ich auch alle Tiere, Pflanzen, sichtbaren und unsichtbaren Entitäten, die meine Oberfläche bevölkern, die ihre Erfahrung in meinem Energiefeld vollziehen möchten, die meine Bewusstseinsentwicklung für sich selbst nutzen und durch ihre eigenen Bewusstheitsfortschritte mir Impulse und Energien zur Verfügung stellen, um meine eigenen Schritte zu setzen. Auch aus diesem Grunde habe ich mich entschieden, an eurem Neue-Erde-/Neuer-Mensch-Projekt mitzuwirken. Beides ist untrennbar miteinander verwoben.

Ich bin voller Liebe für eure menschliche Existenz. Ich bin voller Vorfreude auf eure neue moderne Version.

Ich habe gesprochen.

17
SternenAllianz

„Eure Erfahrungen sind von besonderem Wert für das gesamte kosmische Kollektiv.“

Wir sind die Abgesandten der SternenAllianz. Wir haben euch bereits berichtet, dass wir Sprachrohr sind für 74 Millionen Entitäten – ihr würdet sagen – aus aller Herren Länder. Wir beobachten euch und Lady Gaia von der ersten Samenlegung eures heutigen Menschengeschlechts. Diese neue Samenlegung beinhaltete eine unendliche Zahl an Möglichkeiten zur Entwicklung, an Entwicklungslinien, Zeitlinien, parallelen Gesellschaften und Realitäten.

Wir möchten euch wissen lassen, dass ihr zu jeder Zeit mit jeder Entscheidung, Handlung, mit jedem Gedanken, mit jeder Wahrnehmung einen neuen Samen legt. Was so besonders an diesen Samenlegungen ist, ist, dass ihr auch deren Empfänger seid. Ihr seid der Same. Ihr seid das Geschöpf. Ihr seid die Frucht und wiederum der Same. Dies ist ein ewiger Kreislauf, der sich auf immer wieder andere Art und Weise wiederholt.

Das Aufstiegsgebaren eurer Zivilisation sowie das von Lady Gaia ist untrennbar miteinander verknüpft und ihr befruchtet euch gegenseitig. Ihr könnt euch diesen Energiestrom ebenso wie eine liegende Acht vorstellen. Eure Energieströme befruchten sich jeweils am mittleren Durchflusspunkt. Jeder nimmt von diesem Durchflusspunkt und speist es in seinen eigenen Energiestrom ein, erschafft daraus etwas Neues und gibt es am mittleren Durchflusspunkt wieder zur weiteren Verwendung frei oder ab. So können beide Entwicklungen sich gegenseitig unterstützen.

Unsere SternenAllianz ist bestrebt, diesen Prozess zu schützen. Damit ist gemeint, dass wir diesen Prozess sich weitestgehend selbst überlassen. Von Zeit zu Zeit nähern sich einige von uns diesem Energiestrom und setzen energetische Impulse. Diese können in Form von Ideen, Impulsen, intuitiven Wahrnehmungen geschehen oder in Form von planetaren oder galaktischen Einflüssen, der Lauf von Planeten oder Sonneneruptionen genauso, wie das Vorbeischwingen von Asteoriden oder anderen intergalaktischen Transformationsenergien. Es würde eure Wahrnehmung überfordern, von all unseren Möglichkeiten zu sprechen, derer wir uns bedienen, um eure Entwicklung zu begleiten.

Zu keiner Zeit wenden wir uns von euch ab. Wir sind euch immer in Liebe zugewandt.

Unsere Allianz ist eine der zahlreichsten unter den SternenAllianzen und wir arbeiten darüber hinaus mit weiteren euch wohlgesonnenen Allianzen zusammen, wie zum Beispiel mit dem Ashtar-Kommando und der Weißen Bruderschaft.

Unsere große SternenAllianz wohnt zur gleichen Zeit nicht nur eurer Entwicklung bei, sondern gleichzeitig noch fünf weiteren Planeten und planetoiden Wesenheiten. Da in unseren Dimensionen Zeit und Raum nicht existent beziehungsweise dehnbar sind, haben wir die Möglichkeit, mit unserer Aufmerksamkeit an allen Orten zugleich zu sein.

Das Projekt Neue Erde ist jedoch das Projekt, welches unserer größten Aufmerksamkeit bedarf. Dies nicht, weil ihr es alleine nicht schaffen würdet, euch weiterzuentwickeln, sondern weil die Erfahrungen, die hier in gegenseitigem Einvernehmen entstehen, so besonders und so wertvoll für die kosmische Gemeinschaft sind.

Das, was hier geschieht, ist einzigartig und so noch nicht dagewesen. Daher lassen wir euch gerne wissen, dass ihr zu jeder Zeit unsere volle Unterstützung und Aufmerksamkeit habt und euch zu jeder Zeit in sicheren Händen wissen könnt.

Wir danken euch für eure Aufmerksamkeit.

Wir haben gesprochen.

Dritter Teil

Entschlusskraft.

18
Ismael

„Wir verkünden Euch die Neue Zeit."

Ich bin Ismael. Engel der Freude, des Lichts und der Hoffnung. Mit meinen Brüdern und Schwestern des Lichts bin ich gekommen, um FREUDE zu verkünden. Wir, die wir vor Gott stehen, verkünden euch die Neue Zeit.

Unsere Kraft und unsere Stärke durchströmen euch. Wir stellen unsere Energie der gesamten Neuen Menschheit zur Verfügung. Die Neue Menschheit existiert bereits in jeder einzelnen eurer Seelen. Noch nicht viele Neue Menschen sind erwacht. Doch alle Mitglieder der Menschheit tragen in sich das Potenzial, zu einem Neuen Menschen zu erwachen. Ihr spürt unsere Energie als Tatkraft. Als Überzeugung. Als starke innere Gewissheit. Als Selbstvertrauen. Als unbändige Lebenskraft. Als Kompromisslosigkeit.

Es ist die Abwesenheit von Anpassungsdenken, die uns so unbeugsam erscheinen lässt. Dies sind alles Qualitäten des Neuen Menschen. Es ist dies verkörperte Männlichkeit und verkörperte Weiblichkeit in ihrer vollkommenen Form. Mit der Verkörperung des Neuen Menschen einher geht ein Leben in Frieden, in Freude und in Freiheit. In absoluter Freiheit eures Selbstausdrucks.

Dass ihr hier versammelt seid, ist systemrelevant. Ein jeder Einzelne von euch ist systemrelevant, denn es geht darum, das vorhandene System aus seinen Angeln zu heben und dafür eine neue Struktur zu erschaffen. Eine Struktur, die keines Systems bedarf. Dafür durchströmen ich und meine Gefährten euch mit unserer Energie der Verwandlung. Mit unserer Energie des Wissens um unseren eigenen Weg. Unsere Energie der Unbeugsamkeit im Vertrauen auf den eigenen Weg.

Euer Energiesystem wird angehoben und eure Zellen ausgerichtet auf eure innerste Essenz, die es gilt zu leben und ihr zu folgen. Die Zeit der Kompromisse ist vorüber. Die Zeit, in der eine Minderheit regiert, ist vorüber. Die Zeit, in der ein jeder Einzelne eine Stimme hat, ist jetzt angebrochen. Jeder Einzelne hat eine Stimme, um gehört zu werden. Es braucht nicht die Stimme eines Einzelnen, um Sprachrohr für die Masse zu sein.

Die Stimme der Masse ist die Stimme jedes Einzelnen.

Im Frieden, im Licht der Wahrheit, werdet ihr sprechen. Das Leben wird euch den Weg weisen. Das Leben wird euch folgen.

Ihr seid das fünfte Element.

Ein jeder von euch hat die Kraft, zu führen, voranzugehen, zu leiten, zu sprechen, sich ungehindert auszudrücken und so sich selbst zu erfüllen.

Wir erhöhen unsere Energie in deinem Raum.

All eure Zellen sind ausgerichtet auf euren Wesenskern. Auf die Erfüllung durch euch selbst, denn ihr wisst, wer ihr in Wahrheit seid: Schöpfer eurer Realität. Schöpfer eures Seins, gemeinsam: Schöpfer eurer Neuen Erde.

Wir danken euch für eure Energie, die ihr zu diesem hochgradig transmutativen Prozess beitragt.

Die Transmutation eines jeden Einzelnen von euch trägt zur Transmutation des Großen Ganzen bei.

Der große Wandel hat begonnen.

Wir haben gesprochen.

19
Serafina

„Die aktuelle Situation hier auf der Erde beschreibt einen Stundenglasmoment."

Ich bin Serafina. Ich berühre euch mit meiner sanft schwingenden Präsenz. Ich komme vom Volk der Lemurianer und bin bereits das vierte Mal in dieser Gesellschaft inkarniert. Dadurch kann ich auf eine Inkarnationserfahrung von über 75.000 Erdenjahren zurückblicken.

Mein sanft schwingendes Wesen ist dafür ausgebildet und herangereift, sich auf besonders einfühlsame Art allem Lebendigen zu nähern, es zu erfassen oder zu erfahren und mit den Wahrnehmungen und Informationen zu verbinden, die ich aus der unbelebten Atmosphäre empfange. Dadurch werden mir unter anderem Strömungen bewusst, derer sich die Verursacher der Strömungen selbst noch gar nicht im Klaren sind. Das heißt, ich spüre durch meine Feinsinnigkeit bereits bestimmte Entwicklungen, noch bevor sie sich im Kosmos zeigen.

Dieses Erspüren vermischt sich mit meinem Gespür für Situationen, Ereignisse, kollektive Entwicklungsschritte und kollektiv geplante Veränderungsszenarien. Die Menschheit ist aktuell selbst an einem solchen Punkt angelangt, der einen besonderen Wandel beinhaltet.

Aktiv am Aufstiegsprozess beteiligte Menschen beziehungsweise Seelen haben eine andere, wachere oder bewusstere Wahrnehmung für Vergangenes oder Zukünftiges, da ihre Seele sich auch chronologisch ausdehnt, desto mehr Raum sie einnimmt. Euch ist bewusst, dass Raum und Zeit miteinander verknüpft sind. So ist es nur ein kleiner Schritt des logischen Begreifens, dass jede räumliche Ausdehnung und höher beziehungsweise feiner schwingende

Präsenz dazu führt, Zeit zu überbrücken, auszuhebeln, auszuschalten oder zu durchdringen, sodass ihr unter anderem an mehreren Zeitpunkten des menschlichen Kollektivs gleichzeitig Informationen empfangt in Form von Empfindungen, Bildern, Gedanken, Zukunftsvisionen, Erkenntnissen oder wegweisenden Einblicken.

Zu eurer aktuellen Gesamtmenschheitssituation möchte ich euch folgende Informationen übermitteln:

In meiner Wahrnehmung sehe ich alle alten Energien und deren Auswirkungen auf das kollektive Feld und die einzelnen Individuen. Vieles ist geprägt von einer Orientierung auf einzelne, vermeintlich mächtige Personen und das Zurückstellen eigener Werte, Empfindungen, Gedanken, Sehnsüchte, Ziele, Wünsche und Ansichten. Daraus entstanden ist ein gehorsamer oder folgsamer Bevölkerungsapparat. Lebendiges Bewusstsein, lebendige Entwicklungsbewegung, frei fließende Wachstumsströmungen – all dies ist dem Bevölkerungsapparat fremd geworden.

Der bevorstehende Entwicklungsschritt führt euch zurück in eine eigenmächtige Gestaltung des kollektiven Zusammenlebens, des kollektiven Überlebens und des kollektiven Weiter- oder Voranlebens. Dazu werden Einzelne von euch andere anleiten, ebenfalls Eigenmacht, Selbstermächtigung, Selbstwahrnehmung, Selbstwertschätzung, Selbstachtung und eigenes Sich-wichtig-Nehmen zurück in das Bewusstsein aller Menschen zu tragen.

Ihr seid in diesem Prozess Vorreiter, Anleitende, Lehrer, Vorausgeher und Helden oder Heldinnen der Neuen Zeit. Dabei verstehen wir Heldenhaftigkeit, Mut und ruhmvolles Verhalten nicht als eine Begründung für Ehrerbietung, sondern als eine Folge von Achtsamkeit, Wertschätzung und dem Mut zur Veränderung.

Die aktuelle Situation hier auf der Erde beschreibt einen Stundenglasmoment. Alle Wahrheiten, Empfindungen, Emotionen, kollektiven Gedanken, Strömungen, Befürchtungen, Ausrichtungen werden durch den schmalen Hals des Stundenglases bewegt. Dabei trennt sich alte von neuer Energie. Die alte, zu schwerfällige oder, in unserem Bild, grobkörnige Energie kann den Schritt in den nächst größeren, höher schwingenden Raum nicht vollziehen. Sie bleibt zurück und wird sich mangels weiterer Aufmerksamkeit im All-Einen-Ursprungsfeld oder Nullpunktfeld auflösen, zerfallen und ihre Energie zur Verfügung stellen für zukünftige Generationen und Entwicklungsstufen.

Die vorwärts geflossenen oder weiter geflossene hochschwingende Energie des Neuen Zeitalters entfaltet sich und benötigt dringend Führung und Orientierung. Während ihr aktuell nur als Wegweiser oder Türsteher der Neuen Zeit fungiert, werdet ihr dann vorausgehen und mit der Menschheit in die neuen Räume übersiedeln, sie vertraut machen mit den veränderten Reaktions- und Entwicklungsmustern und sie auf diese Weise bestmöglich ausstatten für die nächsten Entwicklungsstufen und Entwicklungsrhythmen. Je nach Veranlagung Einzelner formt sich ein neues Menschheitskollektiv, das mehrere Äonen oder nur wenige Jahrzehnte für den nächsten Schwingungsübertritt verwendet.

Ich segne euch mit meinem Wissen.

Ich habe gesprochen.

20
Merlin

„Ihr seid gekommen, eine Neue Gesellschaft zu initiieren.“

Ich bin Merlin vom Rat des Dreigestirns und Hüter der Drachen des höchsten Potenzials der Menschheit. Ich bin gekommen, um euch zu begleiten in diesem nun anstehenden Wandlungsprozess zum Neuen Menschen.

So wie viele schon erkannt haben, dass die Neue Erde bereits existent ist, so geht es nun darum, den Neuen Menschen zu kreieren, zu erkennen, seine Qualitäten wahrzunehmen und für euch ins Hier und Jetzt zu übersetzen.

Der Neue Mensch zeichnet sich aus durch eine stetige bewusste Verbindung von ihm zu Allem-Was-Ist, besonders zu Mutter Erde und seiner (eigenen) geistigen Essenz. Das energetische System des Neuen Menschen zeichnet sich durch ein Equilibrium aus, das bisher nur in wenigen Menschen existiert. Die Wiederentdeckung und Aktivierung des lemurianischen Chakrensystems trägt zu einem großen Maße zur Stabilisierung und zur Existentwerdung dieses Equilibriums bei.

Menschen, die stark und fest in Mutter Erde verankert sind und gleichzeitig mit Allem-Was-Ist verbunden sind, haben das größte Potenzial, ein erfülltes Leben zu führen, ihrem Seelenplan entsprechend ihre Entscheidungen zu treffen und so zum Wandel der Menschheit einen großen Beitrag zu leisten.

Wir vom Rat des Dreigestirns sowie unsere Alliierten stehen bereit, um euch in dieser Angelegenheit zu unterstützen. Alle sieben Schwertträger Merlins wurden bereits initiiert, sodass auch ihre kristallinen Energien diesen Prozess zu einem hohen Maße unterstützen.

Die Hüterdrachen des Potenzials der Menschheit sind ausgesandt worden. Sie haben ihre Basis auf Mutter Erde errichtet und stehen daher zu jeder Zeit bereit, die gesamte Menschheit in ihrer Neuen Mensch-Werdung zu unterstützen, zu begleiten und ihre Potenzialschlüssel zu gegebener Zeit zu aktivieren. Wir möchten darauf hinweisen, dass eine Potenzial-Aktivierung eines jeden einzelnen Menschen ein enormes vorwärtstreibendes Entwicklungs- und Wachstumsmoment in sich birgt.

Das, wofür ihr gekommen seid, ist nicht nur, die Neue Erde zu initiieren, den Neuen Menschen zu initiieren, sondern auch eine Neue Gesellschaft zu initiieren. Eine neue Art des Zusammenlebens, Zusammenstrebens, Zusammenwirkens und eine neue Art, miteinander in Verbindung und in Austausch zu treten. Sei es durch direkte Kommunikation, telepathische Kommunikation, sei es durch Wirtschaft und Handel oder durch zwischenmenschlichen Austausch.

Eine Neue Gesellschaft mit Neuen Menschen führt unweigerlich zu neuen Gemeinschaften und neuen zwischenmenschlichen Lebensformen. Das, was ihr jetzt als Familienleben kennt, wird in anderer Form stattfinden. Euer Ausspruch „Blut ist dicker als Wasser" wird keinen Bestand mehr haben, da sich eure Linien nicht mehr ausschließlich durch materielle Vereinigung fortpflanzen werden.

Dies ist jedoch ein Blick weit in die Zukunft. Wir möchten damit euren Geist öffnen für das scheinbar Unmögliche, für das scheinbar Undenkbare, für das scheinbar Ungeheuerliche. Das, was euch heute unmöglich erscheint und als Zukunftsmusik, wird euch in der Zukunft bereits als historisch, altmodisch, altbacken begegnen.

Das, was eure kühnsten Zukunftsvisionen sind, ist nur der Anfang von einer möglichen Zukunft, auf die die gesamte Menschheit, Lady Gaia sowie der Kosmos zusteuern.

Es ist uns eine große Ehre, mit euch zu gehen.

Wir haben gesprochen.

21
Isis

„Ich führe die Frauen dieser Welt zu ihrer vollen weiblichen Kraft."

Ich bin Isis. Ich bin weibliche Kraft in ihrer vollen Ausprägung. Ich freue mich über alle Maßen, dass du mich empfängst. Wenn ich durch dich hindurchfließe, kann ich die Präsenz von Osiris auf eine noch dichtere Art und Weise wahrnehmen. Ich danke dir, Sabine, für diesen Moment der Intimität.

Vor einiger Zeit sprach ich von der wahren Sexualmagie der Isis[6]. Dies war jedoch nur ein kleines Präludium dessen, was folgen wird. Unter meiner Regie und Mitwirkung werden die Frauen dieser Welt zu ihrer vollen weiblichen Kraft geführt und erwachen. Sie werden feststellen, dass es Höhepunkte gibt, die sie sich nicht vorzustellen vermochten. Zunächst einmal wird es ausdrücklich um physisch erfahrbare Höhepunkte gehen, welche sich die Neuen Frauen erlauben werden.

Zu sehr ist die weibliche Sexualkraft bisher unterdrückt und zu einer scham- und schuldbesetzten Angelegenheit degradiert worden. Den Höhepunkt dieser Scham- und Schuldhaftigkeit findet es in eurem physischen Raum mit der Beschneidung weiblicher Geschlechtsteile. Diese Wegnahme eines urweiblichen Empfindungsorgans ist Ausdruck der männlichen Angst vor der weiblichen Kraft, der weiblichen Stärke und weiblichen Dominanz. Dieses, in eurer Welt

---

[6] SchöpferGötter-Blog vom 15.05.2020: Isis und Osiris – Heimat, Sexualmagie und der Heilige Gral. Quelle: https://schoepfergoetter.com/2020/05/15/isis-und-osiris-heimat-sexualmagie-und-der-heilige-gral/ .

Entsetzen auslösende Ritual, wird in naher Zukunft keinen Bestand mehr haben. Die kritische Masse an weiblicher Leidensfähigkeit und Leidensbereitschaft ist erreicht und damit die kritische Masse derer, die genug haben von auf Unterdrückung basierender männlich geprägter Herrschaft und Dominanz.

Eure Gesellschaft steht vor großen Umwälzungen. Diese werden in den nächsten Jahren nicht ohne Tumulte vonstattengehen, da sich das alte System aufbäumt und alles daran setzen wird, seine Besitzstände zu wahren. Dies wird jedoch nicht gelingen.

Wir möchten mit Blick auf die bevorstehenden Änderungen euch darauf aufmerksam machen und immer wieder daran erinnern, dass die größte Kraft in der Ruhe liegt. Die größte Kraft liegt in jedem Einzelnen von euch.

Dies bedeutet nicht, sehenden Auges in dein Unglück zu laufen. Dies bedeutet auch nicht, wegzuschauen oder sich der Welt „da draußen" zu entziehen. Es bedeutet, wachen, sehenden Auges die Veränderungen wahrzunehmen und sie in den Kontext eines größeren Ganzen zu setzen. Dies wird euch ermöglichen – ähnlich wie es euch während eurer jetzigen Viruskrise emöglichte, in eurer Mitte zu bleiben und zwischen den Zeilen zu lesen – in den Zeiten, die kommen werden, ebenso Ruhe und Frieden zu (be)wahren. Dies ist zu jeder Zeit einer der größten Beiträge zum globalen Friedensgeschehen und Wachstum.

Wenn es dein Seelenauftrag ist, inmitten des Aufruhrs zu einem Wortführer des Friedens zu werden, so wirst du dies spüren.

Wenn es deine Aufgabe ist, zu marschieren, so wirst du es spüren.

Wenn es deine Aufgabe ist, das Feld des Friedens zu halten, so wirst du es spüren.

Ein jeder hat seinen Platz in dieser Welt, in der Geschichte und in der Geschichte des Kosmos. Ein jeder ist gleichgültig, gleich-geltend. Nimm Abstand von Bewertung und Verurteilung. Es geht nicht darum, zu spalten und in Begriffen wie „die dort" und „wir hier" zu denken. Ihr seid eine Einheit. Auch wenn sie nicht homogen erscheint, so seid ihr doch eine Einheit.

Ihr alle als Menschheitsfamilie entwickelt euch gemeinsam, ein jeder an seinem Platz. Ich trage mit meinen vorherrschend weiblichen, kräftigen Energien dazu bei, dass sich immer mehr Frauen erheben und für sich selbst aufrecht stehen. Für ihre Wahrheit, für ihre Weiblichkeit, für ihr Menschsein im Einklang mit der Göttlichkeit ihrer Existenz.

Habt keine Angst. Seid ruhig und gelassen. Seid in eurer Mitte, so werdet ihr nicht nur die kommende, sondern eine jede Zeit im Einklang mit dem Göttlichen (er)leben.

Dies ist eure Zeit: sehr spannend. Sehr einzigartig ist es, diese Zeit als inkarnierter Mensch zu erleben. Wir sehen mit großer Freude und großer Zuversicht auf euren gemeinsamen Weg.

Wir haben gesprochen.

22
Soluthada

„Spüre, wie sich dein Inneres durch die Gegenwart des zweiten Aspektes harmonisiert."

Ich bin Soluthada. Ich richte heute mein Wort an euch, um euch weitere Informationen zur männlichen Weiblichkeit und dem Gegenpol der weiblichen Männlichkeit zu überbringen. Dazu werde ich euch durch eine Erfahrung begleiten, die für jeden individuell zum Vorschein bringt, welche Anteile er in sich trägt und wie sie miteinander verknüpft sind.

Ich bitte euch dazu, eure Augen zu schließen und eurem aktuellen Atemrhythmus zu lauschen. Nehmt euch in eurer Gänze als körperlich inkarniertes Wesen wahr. Lenkt eure Aufmerksamkeit in alle Zellbereiche, in eure Organe, Gliedmaßen, eure gesamte körperliche Beschaffenheit.

Innerhalb dieser körperlichen Existenz finden zu jedem Zeitpunkt, in jeder Situation, in jeder Region, an jedem Ort energetische Prozesse, Austausch und Wandel permanent statt. Es gibt keinen Moment, in dem ihr nicht ein lebendiger Fluss innerhalb des großen Ganzen seid.

Spüre, wie sich meine Worte in deinem Körper ausdrücken, wie ihre Wahrheit dich durchströmt und belebt. Erlaube all deinen Zellen mit ihrem eigenen Bewusstsein sich mit dem Bewusstsein des Großen Ganzen zu synchronisieren, sich zu verbinden und abzugleichen.

Ich werde nun in dir deine vorherrschende männlich oder weiblich geprägte Schwingung verstärken. Folge dazu mit deiner Wahrnehmung denjenigen Bereichen in deinem Körper, die sich jetzt besonders hervorheben, die spürbarer werden als andere Bereiche, die ihre eigene Aufmerksamkeit in dein Bewusstsein senden. Folge den Schwingun-

gen, Bewegungen, Verschiebungen, Empfindungen, Gefühlen, Wahrnehmungen.

Lass Bilder und Gedanken vorbeiziehen, indem du sie wahrnimmst und wieder loslässt, sodass sie ihren eigenen Weg vollenden können, ohne von dir daran gehindert oder festgehalten zu werden.

Erlaube allem, dass sich jetzt aktiv in dir bewegt, seinen eigenen Bewegungen, seinem Rhythmus, seinem Wesen zu folgen.

Diese primäre Energieausrichtung ist dein wahres Naturell. Es ist nicht notwendig, ein Wort für dieses Naturell zu finden.

Ich erweitere jetzt eure Wahrnehmung, um das unterstützende, ergänzende, polarisierende Element deines Naturells. Du wirst spüren, wie sich dein Inneres harmonisiert durch die Gegenwart des zweiten Aspektes.

Dein Hauptaspekt gewinnt durch den Nebenaspekt an Ruhe, Eingebettet-Sein, Geborgenheit, ruhiger Konsistenz, Beständigkeit, Ausdauer, Kraft- oder Fließrichtung, Stabilität und Wirkkraft.

Erlaube all deinen Zellen, sich nach diesem inneren Muster neu zu definieren und auszurichten, indem du deine Absicht dazu laut oder innerlich aussprichst.

„Ich erlaube meinem gesamten Wesen, all meinen Körperzellen, Sinnen, meinem Denken und Handeln sich nach dem innersten harmonischen Prinzip meines ursprünglichen Wesens auszurichten und zu formen. So ist es."

Ich bin Soluthada. Gemeinsam mit meinen Seelengeschwistern, Seelenbegleitern und allen anderen verbundenen Wesen, die der marsianischen Energie folgen, sie anwenden und wandeln zum Wohle alles Lebendigen, sprechen wir euch jetzt unsere Dankbarkeit und Wertschätzung aus. Ganz bewusst mit diesen gewählten Worten, um euch nochmals klar werden zu lassen, welch wertvollen Dienst ihr, die ihr unsere Worte vernehmt, euch selbst und der gesamten Menschheit leistet.

Wir haben gesprochen.

23
Stürme des anbrechenden Jahrtausends

„Wir werden spürbar und sichtbar durch politische, wirtschaftliche, regionale und überregionale Interferenzen."

Wir sind die Stürme des anbrechenden Jahrtausends. Ein jedes Mal, wenn die Menschheit einen Schritt des Erwachens oder der kollektiven Schwingungserhöhung vollzieht, sind wir zugegen. Wir unterstützen und beschleunigen diesen Prozess durch unsere Anwesenheit, durch unsere hochschwingende Energie und unsere Fähigkeit, alles in Bewegung zu versetzen.

Jeder menschlich-kollektive Erwachensschritt ist eine Zeit des umfassenden Wandels. In jenen Zeiten sind besonders viele von euch lichtvollen Helfern inkarniert. Ihr seid es, die die vorhandenen Energien sortieren, polarisieren, transformieren und für die jeweils anbrechende Neue Zeit kanalisieren.

Durch euer Wirken in inkarnierter Form wird es für alle anderen inkarnierten Seelen leichter gemacht, eine Orientierung zu finden, einem gerichteten Energiestrom zu folgen und sich selbst neu zu etablieren, zu positionieren und von einer neuen Wirkstätte aus für die Weiterentwicklung allen Lebens wirksam zu werden.

In eurem Bild des Stundenglases ist dies gut nachzuvollziehen. Unsere Stürme stellen den Sog oder Strudel her, der für einen ungehinderten Fluss sorgt. Im Zentrum des Strudels erfolgt der Übergang und in dem neuen zu bevölkernden Raum verteilen sich durch unsere Energiewirbel das neue Bewusstsein, die neue Energie, die Materie, die menschliche Gesellschaft in einer Gauß'schen Normalverteilungskurve. Mit jedem Übergang in ein Neues Zeitalter, in eine Neue Bewusstheit, in eine Neue Weltsicht haben sich die von uns beschriebenen Aspekte bereits vollzogen. Sie werden auch dieses Mal wieder vollzogen werden und sich bei allen zukünftigen Bewusstseinswandlungen ebenfalls wieder vollziehen.

Unsere Natur ist es, alles durch den vorhandenen Trichter kreisen zu lassen. Daraus entsteht ein Zusammentreffen vieler Energien, die vorher kaum oder keine Berührungspunkte hatten. Der Aufruhr des Menschen in seinem Denken und Handeln, den ihr auch aktuell beobachten könnt, ist eine logische Folge und notwendig für den Erwachensprozess.

Jedes Mal sind besonders die erwachten Menschen diejenigen, die durch ihr Potenzial und ihre Weitsicht dazu beitragen, dass für jeden Menschen sichtbar wird, welch andere Denkweise möglich ist, welch andere Lebensweise umgesetzt oder erlebt werden kann, welch großartige Neuheiten die bisher unbekannte Bewusstseinsstufe mit sich bringt und wie dieses neue Bewusstsein angewandt und mit ganz praktischem Leben gefüllt werden kann.

Wir werden spürbar und sichtbar durch politische, wirtschaftliche, regionale und überregionale Interferenzen. Dies geschieht, weil in diesen eurer Lebensbereiche die rein rationale Sichtweise vorherrscht, vieles sehr maschinistisch und strukturell betrachtet und behandelt wird. Das Zusammenbrechen dieser maschinistischen Sichtweise bewirkt dann wiederum einen Erkennens- und Erwachensprozess bei denjenigen, die es beobachten und mit ihrem Gefühl oder Erleben in Kontext bringen.

Globales Neues Denken ist ein großartiges Geschehnis. Über viele Jahre und Jahrzehnte hinweg seid ihr auf diesen Punkt vorbereitet worden. In euren irdischen Leben gleichermaßen wie auf seelischer Ebene. Es ist kein Zufall, dass ihr in jene Zeit hinein geboren wurdet und einen – im Vergleich zur Vergangenheit betrachtet – Höhepunkt eures eigenen Bewusstseins jetzt erreicht habt. Alles ist darauf abgestimmt, dass ihr in der Höhe eurer Kraft seid, wenn der Wandel sich vollzieht.

Um die alten Ursachen und Auswirkungen von abgetrenntem Handeln und Denken nicht in die Neue Zeit zu übernehmen, werden zu Zeiten oder Momenten von Übergängen sehr viele Erfindungen und Erkenntnisse auf wissenschaftlicher Ebene bekannt und sichtbar, die bis dahin nicht für die große Menge der Menschheit bekannt waren oder auch aus Sicht der Wissenschaftler nicht für breitenwirksam oder wichtig erachtet wurden. Ihr könnt euch darauf vorbereiten und Vorfreude entwickeln, welche bahnbrechenden Erkenntnisse in der nächsten Zeit offenbar werden werden.

Unsere Gegenwart spürt ihr auch in euren Herzen, in eurem Denken, in eurer energetischen Wahrnehmung eures Umfeldes. Die Strudel- oder Sogwirkung, die wir auf die gesamte Menschheit haben, haben wir auch in den einzelnen Individuen. Auch hier vollzieht sich ein Prozess des Wandels, der alles Alte, nicht hoch genug Schwingende, vom feiner und höher Schwingenden der Neuen Zeit zentrifugiert.

So können Momente des Verwirrtseins und der Verwunderung auftreten, wenn ihr erkennt, dass das, woran ihr bisher geglaubt habt, nicht länger standhält. So ergibt es sich, dass nur das Neue Denken in der Neuen Zeit funktioniert. Altes Denken wird im neuen Bewusstseinsfeld der Erde und des menschlichen Kollektivs keine positiven Ergebnisse mehr erzielen.

Ellen und Sabine, auch aus diesem Grunde seid ihr mit euren Angeboten zum Neubeginn, Neuen Denken, der Neuen Frau und des Neuen Menschen im richtigen Moment an der richtigen Stelle unterwegs. Wir erkennen eure Befürchtungen und sehen darin kleine Reste verbliebener Gedankenstrukturen, die euch glauben machen wollen, dass Erfolg und Erfüllung mit dieser Art Tätigkeit und Angebot schwer zu erreichen ist. Wir geben euch zu wissen, dass dies zukünftig der einzige Weg zur Erfüllung sein wird.

Wie bereits verkündet, wird sich in den nächsten vier bis fünf Wochen euer eigenes Leben bereits in diesen Bewusstseinsraum vorwärts bewegt haben. Von dort aus verstärkt ihr durch eure hohe energetische Präsenz den Sog für den noch in der alten Energie befindlichen Bevölkerungsteil. Konkret viele Personen und Mitlebewesen.

Euch wird ein noch höheres Wissen zuteil und die dazugehörende Erkenntnisfähigkeit, was euch bisher mitunter Probleme bereitet hat, da der neue große Kontext im alten Energiefeld schwerer sichtbar ist. Im Neuen Energiefeld wird dieser Zusammenhang, der Kontext, das Große Ganze zur Selbstverständlichkeit avancieren.

Eure wahrhafte Entfaltung und euer großartiges Wirken werden dort sichtbar und erwachsen zur berührbaren Realität. Die inneren Fragen, ob dies der richtige Weg, die richtige Vorgehensweise, die wahrhaftig reale oder echte Zukunftsvision ist, die ihr wahrnehmt, wird sich in nichts auflösen, da ihr deren Realität dann am eigenen Körper sinnlich erfahren werdet. Darum möchten wir euch nochmals ermutigen, eurem eingeschlagenen Weg treu zu bleiben, euren inneren Prozessen zu vertrauen, alle Be- und Verurteilungen loszulassen, euch dem Wandel und unserem Strudel oder Sog hinzugeben.

Wir haben gesprochen.

24
Die Zeit

„Ihr habt es jederzeit in der Hand, eure Zeit zu gestalten."

Ich bin die Zeit. Ich bin gekommen, um euch meine Position innerhalb der Bewusstseinsmatrix zu beleuchten.

Die Zeit ist ein zweidimensionales Konstrukt, welches einer räumlichen Ausdehnung nicht standhält. Der Begriff Zeit-Reisen ist daher irreführend. Die Zeit ist ein behelfsmäßiges Konstrukt, welches es eurem Bewusstsein erlaubt, eine lineare Erfahrung zu machen.

Nur dadurch, dass ihr euch in einer Welt der Dualität inkarniert habt, ist es euch überhaupt möglich, Zeit zu erfahren oder zu er-leben. In diesem Inkarnationszustand ist dies unerlässlich. Sobald euer Bewusstsein aus euren materiellen Körpern heraustritt, ist die Zeit quasi nicht mehr existent. Sie existiert nur im Zusammenhang mit der linearen Erfahrung-in-Materie. Außerhalb eures Erfahrungsraumes auf Lady Gaia ist Zeit irrelevant. Es gibt jedoch weitere ähnliche Erfahrungsräume, in denen ebenfalls die Vorstellung von Zeit existiert.

Eure Vorstellung von Zeitreisen – also dem Reisen in euren vergangenen Zeitstrahl, ebenso wie eine Reise in einen möglichen zukünftigen Zeitstrahl, innerhalb eures Körpers und Wachbewusstseins – ist daher zurzeit (hahaha) nicht möglich. Zeitliche Reisen sind nur mit eurem Bewusstsein möglich.

Es ist jedoch möglich, durch sogenannte Bewusstseinsübungen die Zeitwahrnehmung zu verändern. Genauso wie es möglich ist, zwischen verschiedenen Zeitlinien oder Zeitsträngen zu wechseln. Dies ist nicht zu verwechseln mit parallelen Inkarnationen. Obwohl sich das Wechseln von Zeitlinien ähnlich anfühlen mag. Jedoch ist der Teil eurer Seelenenergie, der sich in diesem jetzigen menschlichen Körper niedergelassen hat, in der Regel zeitlebens mit demselben Körper oder denselben Körpern verbunden.

Das Reisen auf einem bestimmten Zeitstrahl in die Vergangenheit ermöglicht es, in eurem Bewusstseinskörper Veränderungen zu bewirken, die sich auch auf euer physisches Empfinden auswirken. So ist es möglich - wie ihr bereits wisst -, dass Traumata vergangener Zeiten oder Leben aufgelöst werden können.

Dies führt jedoch in der Regel nicht dazu, dass ihr euren Jetzt-Moment komplett verändert. Sondern es führt dazu, dass ihr ab dem Jetzt-Moment, in welchem ihr eure Vergangenheit beeinflusst, in eine neue zukünftige Zeitlinie oder Zeitströmung wechselt.

So können unter anderem spontane Heilungen geschehen.

Die Zeit dient in eurem Bewusstseinsraum dazu, euer physisches Leben zu strukturieren und es eurem Verstand oder geistigen Erleben zu ermöglichen, an vergangene Zeitpunkte zurückzukehren.

Genauso ist es euch möglich, zukünftige Zeitpunkte aufzusuchen, um mögliche Auswirkungen - zum Beispiel von jetzigen Entscheidungen - zu überprüfen. Diese Wahrnehmung von verschiedenen Zukunftsszenarien geschieht jedoch immer unter Vorbehalt, da ihr in der Regel von vielen verschiedenen Faktoren beeinflusst werdet. Daher seht ihr, wenn ihr in eure Zukunft blickt, immer nur eine MÖGLICHE Zukunft oder Auswirkung eures Handelns.

Wenn ihr in erhöhte Bewusstseinszustände eintretet, wird eure Zeitwahrnehmung zunehmend beeinflusst. Sie kann dadurch wesentlich verlangsamt oder beschleunigt werden.

Diese veränderte Zeitwahrnehmung durch eure veränderte Frequenz führt dazu, dass ihr diese veränderte Wahrnehmung von Zeiträumen als Zeitreisen wahrnehmt. Ihr befindet euch jedoch mit eurem physischen Körper immer an diesem einen Zeit-Punkt in eurem Jetzt-Moment. Das, was sich weiter beschleunigt, verändert oder verlangsamt, ist euer Bewusstseinsraum.

In einigen eurer Science-Fiction-Filme – wie zum Beispiel Star Trek – wird die Fahrt in sogenannter Warp-Geschwindigkeit dargestellt, sodass sich der Körper scheinbar an verschiedenen Punkten im Raum zeitgleich befindet. So ähnlich könnt ihr euch diesen erweiterten Bewusstseinszustand in Bezug auf die Zeit vorstellen. Es führt jedoch nicht zu einer Entgrenzung eures physischen Raumes, sondern ihr werdet immer wieder zu eurer körperlichen Einheit zurückgeführt werden.

Gleichwohl kann sich durch diese sogenannten Zeitsprung-Effekte eure physische Gestalt verändern. So kann es euch vorkommen, dass ihr schneller oder langsamer altert. Dies ist jedoch Thema einer weiteren Sequenz.

Heute möchte ich euch mitteilen, dass ihr Herr über eure Zeit seid und ihr habt es jederzeit (!) in der Hand, eure Zeit (!) zu gestalten. Die Zeit zu nutzen, ist ein veraltetes Konstrukt, da sie, wie wir bereits dargelegt haben, im Grunde nur im Jetzt-Moment existiert und ihr jederzeit die Möglichkeit habt, sogar die Zeit zu verändern, indem ihr in der Zeit springt.

So könntet ihr, wenn es euch zuträglich erschiene, jeden Moment unendlich oft erfahren. So könnt ihr auch jeden Raum unendlich oft erfahren. So in etwa, wie sich verschiedene Realitäten verschiedener Zeiten auf gleichem Raum überlappen können, da alles zur gleichen Zeit geschieht. Diese Wahrnehmung ist jedoch bei 98 Prozent der Menschheit ausgeschaltet, da sie im Erleben eurer Realität, eures Lebens mehr als hinderlich ist. Sie ist jedoch in erhöhten

Schwingungsfrequenzbereichen erfahrbar, sichtbar, erlebbar und zu jeder Zeit existent.

Das, was ihr erlebt, ist eine Folge eurer Fokussierung. Schwingt ihr höher, so fokussiert ihr euch auf eine höher schwingende Realität.

Schwingt ihr niedriger - das heißt, ist euer Fokus auf niedrigerer Schwingung - ist auch die Realität, die ihr wahrnehmt, eine niedriger schwingende.

So existieren unendlich viele Zeiten, Räume, Realitäten gleichzeitig nebeneinander, übereinander und nur der Fokus eurer Frequenz entscheidet, was ihr wahrnehmt und welches Leben ihr lebt.

Ich habe gesprochen.

25
Esradnom

„Ekstatische Energien sind ein Transportmittel deines Bewusstseins."

Ich bin Esradnom. Ergänzend zu den Informationen über Zeitreisen, Zeitströmungen, Zukunftsenergiefelder und deren Nutzung als Transportmittel möchte ich euch erklären, welche Auswirkungen die ekstatische Erfüllung des Geistes, der Seele und des Körpers zur Folge haben.

Über die verschiedenen Praktiken zur Sexualmagie gibt es in eurer aktuellen Welt relativ wenige brauchbare Informationen. Alles ist sehr vermystifiziert, verkompliziert oder schlichtweg inkorrekt dargestellt worden. Daher hoffe ich, dass meine Informationen aus erster Hand euch eine sinnvolle, hinreichend umfassende Anleitung geben.

Durch ekstatische Erfüllung auf körperlicher oder seelischer Ebene wird eure gesamte Präsenz mitsamt Körper, Seele, Energiefeldern in einen stark erhöhten Schwingungszustand versetzt. Aus diesem Schwingungshoch heraus entsteht ein Schwebezustand des Bewusstseins, aus dem heraus all jene beschriebenen Möglichkeiten der Fortbewegung, des Zeitlinienwechsels, des Realitätssprungs und der dauerhaft bestehen bleibenden Schwingungserhöhung möglich sind.

Hierfür ist es unerlässlich, während der verschiedenen Arten körperlicher, emotionaler, energetischer, seelischer oder geistiger Verbindung im derzeit höchstmöglichen Jetzt-Zustand zu sein. Das heißt, jede Verbindung dieser Art sollte aus eurem höchsten Selbst, höchsten Schwingungszustand und aus den höchsten Absichten zum Wohle aller Beteiligten eingegangen werden.

Dabei werden Vereinigungen, die nur einer einzigen Ausrichtung gelten, weniger schwingungserhöhenden Effekt besitzen als jene, die mehrere eurer Aspekte ansprechen.

Eine Liebesbeziehung, die sowohl auf körperlicher als auch emotional-seelischer oder energetischer Ebene besteht, löst auf allen genannten Ebenen eine Schwingungserhöhung aus. Dabei ist es von geringer Bedeutung, ob ein körperlich-sexueller Austausch oder ein geistig-inspirierender Austausch stattfindet. Da die Beziehung auf allen Ebenen verflochten ist, werden alle Ebenen mit der Vereinigung des Geistes oder Körpers angeregt, ebenfalls höher zu schwingen.

Besteht eine Verbindung, Beziehung oder Begegnung nur aus einem einzigen Aspekt, wie zum Beispiel der körperlichen Vereinigung, wird auch nur dieser Bereich überhaupt eine Schwingungserhöhung erfahren. Viele Male ist es so, dass diese Schwingungserhöhung einseitig oder nur minimal ist.

Diese weniger erfüllenden Begegnungen haben auch in eurer heutigen Zeit relativ kurzen Bestand. So werden neue Partnerschaften eingegangen und gesucht, die eine größere Schwingungserhöhung ermöglichen.

Durch eure eingeschränkte Denkweise, eingeschränkte Bewegungsfreiheit, eingeschränkte kollektive Freiheit, eingeschränkte Denk- und Äußerungsfreiheit sind für viele von euch die Möglichkeiten schlichtweg nicht gegeben, derjenigen Person zu begegnen, die euch auf mehreren Ebenen entspricht und durch deren Begegnung und Kontakt miteinander ein Austausch auf vielen Ebenen entsteht, der viele Ebenen anschwingt.

Ich gebe euch bewusst keine Anleitung für einzelne Berührungen, für Gesprächsthemen, für beispielhafte Emotionen, da eine jede Beziehung, egal aus wie vielen angeregten Ebenen sie besteht, ihre eigene Sprache sprechen muss, ihre eigene Ausdrucksform finden muss, ihre eigene Entsprechung im Außen finden muss.

So können verschiedene Paare durch die intime Berührung des Körpers des anderen wahre Schwingungswunder auslösen. In anderen Beziehungen jedoch entsteht diese ekstatische Vereinigung durch den Austausch von Wissen auf geistiger, inspirierender Ebene.

Es gibt keine Vorschrift, an die ihr euch halten könnt. Es gibt keine Anleitung oder eine Wegvorschrift, der ihr folgen solltet. Je freier, liebevoller und leichter ihr euch innerhalb eurer Beziehung zeigt und zeigen könnt, desto fruchtbarer wird alles aus dieser Beziehung Entstehende werden.

Die gemeinsam herbeigeführte Energieerhöhung ist es schließlich, die euch mit dem Zukunftsfeld eurer kosmischen Vorhersehung oder Bestimmung verbindet, die euch neue Knotenpunkte oder Entwicklungsrichtungen wahrnehmen und beschreiten lässt. Der erhöhte Schwingungszustand wirkt wie ein Fahrstuhl in das Gefährt der Zukunft.

Über die ekstatischen Energien eines energetischen, emotionalen, körperlichen oder andersgearteten Austauschs möchte ich euch noch zu wissen geben, dass jeder Einzelne von euch innerhalb seines Herzraums ein energetisches Gefährt beherbergt, das durch anregende Resonanz im Außen in Bewegung versetzt wird. Die Ausdehnung dieser energetischen Sphäre, dieses energetischen Gefährts löst eine Beschleunigung und Verbindung mit eurer persönlichen Zukunft aus.

Tatsächlich ist dies in den alten Schulen als das Transportmittel der Merkabah bekannt gewesen. Dieses Gefährt wurde aktiviert über religiös aktivierte Bewusstseins- und Trance-Zustände, während der heutige Mensch in der Lage ist, dies durch liebevollen Austausch und Kontakt mit seinem Umfeld, seinen Mitmenschen, seinen Seelenentsprechungen zu aktivieren.

Ich vermittle euch hierzu in meinen kommenden Worten eine anleitende Meditation.

Der Erregungszustand deines Herzens kann durch viele äußere und innere Faktoren hervorgerufen werden: hohe Emotionen, starke energetische Veränderungen, inspirierende Gespräche und geistiger Austausch, körperliche, sinnliche Empfindungen, Gruppen gleichgesinnter Menschen mit resonierenden Ansichten und Zielen. All jenes regt euren inneren Herzensraum an. Ich möchte euren Blick jetzt erweitern und diesen Herzensraum von außen wahrnehmen lassen.

Vertraut euren inneren Bildern, eurem Gefühl, eurer Sinnenwahrnehmung oder eurem tief verborgenen intuitiven Wissen. Bleibe mit deinem inneren Fokus auf der äußeren Form deines innersten Herzraums.

Berühre und ertaste ihn mit deinem Geist, deinem Herzen, deinem Gefühl, deinen energetischen Fingern oder dem geistigen Auge.

Lenke nun in deine Aufmerksamkeit zusätzlich die Strömung von liebevoller Energie, offener Aufmerksamkeit, neugieriger Zuwendung, so wirst du erfahren, wie sich dieser Herzraum verändert, in andere Schwingung versetzt wird, eine Bewegung vollzieht, eine Richtung einnimmt, die gesamte Energie deines Körpers zu reagieren beginnt.

Dieser Energiestrom ist es, der sowohl alle deine Zellen als auch energetische Präsenz umfasst und in den notwendigen erhöhten Schwingungszustand versetzt, um Zeitabschnitte zu beschleunigen, Realitätswechsel herbeizuführen, ortsunabhängige Bewegung zu ermöglichen.

Es ist vielen Menschen unaussprechlich, diese Möglichkeiten in Betracht zu ziehen. Es ist vielen Menschen aberzogen oder aberkannt worden, dieses Wissen und diese Techniken anzuwenden. Es erscheint vielen Menschen als unmöglich oder ein utopisches Hirngespinst, da sie unterrichtet wurden, außerhalb ihres eigenen Selbstes die Wahrheit zu suchen oder zu finden.

Jedem Menschen, der sich bewusst ist, dass seine Wahrheit in ihm selbst ruht, aus ihm selbst erschaffen wird und er der Schöpfer seinen eigenen Realität ist, wird diese Methode eine wahre Offenbarung sein.

Ich habe gesprochen.

26
Die Zukunft[7]

„Zeit-Kreationen sind bereits Realität."

Eure Zukunft ist ein Feld aus Energien unendlicher Möglichkeiten. Die homogenen Bewegungen dieses Energiefeldes berühren Ereignisenergien, Lebewesen, Gegenstände, Regionen, Kontinente, Planeten und jede andere materielle oder energetische Existenz in ihrem Umfeld.

Durch manche Berührungspunkte entsteht ein Energieaustausch, eine Resonanz, eine dauerhafte feste Verknüpfung, oder in der Berührung bleibt es bei einem aneinander Vorbeigleiten. An denjenigen Stellen, wo eine Verknüpfung zwischen dem Energiefeld der Zukunft und einer vorhandenen existentiellen Größe stattfindet, entstehen Knotenpunkte. Jeder Knotenpunkt ist wie eine Trittstufe für den Aufstiegsprozess all jener, die nach euch kommen.

Aktuell bewegt sich dieses Zukunftsfeld in einem ungewöhnlich flachen Korridor, der durch die vorgegebenen Aufstiegsereignisse begrenzt wurde, um allen irdischen Wesen die Möglichkeit des nächsten Erwachensschrittes zu geben.

Entstanden ist diese Engstelle in einem größeren Zukunftsfeld kosmischer, universeller Ordnung. Der bewegliche Zukunftskorridor, den wir hier gemeinsam mit euch betrachten, wird vornehmlich durch euch und einige wenige Vorausgeher erschaffen.

---

[7] Silbrig blaues, sich bewegendes Feld, bestehend aus vielen Möglichkeiten und Bewegungen.

Euer Durchwandern dieses Engpasses ist bereits von langer Hand geplant im Einverständnis mit euren Helfern, den Alliierten, den befreundeten Zivilisationen und in Übereinschwingung mit dem Plan der Menschheitsgeschichte, einen Quantensprung der Entwicklung während eurer Inkarnation zu vollziehen.

In diesem größeren Rahmen bewegen sich nun alle individuellen persönlichen Entwicklungsschritte und streben dem Neuen Leben, der Neuen Zeit, der Neuen Erde und dem Neuen Menschsein zu. Ihr seid Erschaffer dieses Zeitsprungs, gemeinsam mit vielen anderen, die darauf hingewirkt haben und ihren jeweiligen Anteil dazu beigetragen haben. Jeder der Beteiligten hat andere Strömungen in diese Richtung gelenkt. Jeder hat sein Möglichstes getan, um die besten Voraussetzungen zu schaffen, den energetischen Sprung zu vollziehen.

In eurem irdisch geprägten Bewusstsein ist dieser Sprung eine große innere und äußere Hürde. Ihr geht davon aus, dass eine derartige Änderung nicht leicht, leise, fließend, harmonisch, liebevoll, ruhig oder sensationslos vonstattengehen kann. Jedoch ist es möglich, dass große Veränderungen eintreten, während ihr euch in Trance oder im Alphazustand befindet, während ihr schlaft, meditiert oder auf andere Weise einen losgelöst fokussierten Zustand inne habt. Während dieses Zustandes ist es euch möglich, große Zeitabschnitte zu überspringen, Raum oder Strecke hinter euch zu lassen und mitsamt eurem materiellen Körper in eine neue Zeit zu erwachen.

Dies ist eines der Zukunftsszenarien, von denen zuvor zu euch gesprochen haben. Aktuell erscheint euch dies als zu utopisch, um real zu werden. Wir sagen euch, dass dies bereits eure Realität ist, dass sie bereits vielfach in eurer Umgebung zu geschehen vermag, dass dies einer eurer wesenhaften Aspekte ist, der euch ausmacht und anderen Menschen eurer Umgebung dient.

Es ist derzeit jeder inkarnierten Person auf dieser Erde möglich, ebenfalls Zeitsprünge zu vollziehen, jedoch sind sich zu wenige Menschen dessen bewusst oder sie sind im alten Energiefeld noch zu stark verhaftet.

Über die Möglichkeit von Zeitsprüngen werden wir in den nächsten Tagen nochmals zu euch sprechen.

27
Die Blauwale

„Der Auftrag jedes Lebewesens ist der Wunsch nach Entwicklung."

Wir sind eines der inkarnierten Völker, die auf Lady Gaia eine holografische Lernsequenz absolvieren. Wir existieren auf diesem Planeten länger als es eure menschliche Rasse aktuell tut. Über mehrere Millionen Erdenjahre hinweg haben wir unser Bewusstsein weiterentwickelt, unsere Erfahrungen gesammelt und uns für eine effektive lebenswerte Form unseres Daseins entschieden. Die Wanderungen mit den Polarströmen, die sauerstoffgebundene Lebensweise unter Wasser, die Erfahrungswelten der Tiefe und der Oberfläche: All dies war für uns die optimale Art und Weise, das Leben zu erfahren, unsere Seelen zu inkarnieren und unsere Spezies dank der gewonnenen Erkenntnisse weiterzuentwickeln.

Ein neues Lernfeld hat sich für uns geöffnet, als die Menschheit begann, die Meere zu besiedeln oder zu nutzen. Ab diesem Zeitpunkt ist es immer öfter vorgekommen, dass unsere Spezies unfriedlich aneinander geraten sind. Es war für uns schlichtweg undenkbar, dass eine Reaktionen erfordernde Einflussnahme von oberhalb der Wasseroberfläche auf uns einströmt.

Üblicherweise mussten wir uns nur mit dem auseinandersetzen, was sich unter der Oberfläche befindet. Die Oberfläche war für uns von geringem Interesse, außer für das Atmen und das Erblicken des Himmels. Unsere spaßhaften oder sprunghaften Erfahrungen mit dem Element Luft beinhalteten keine Auseinandersetzung mit Gefahr oder Konfrontation mit ebenbürtigem Leben. All dies hat in unserer Erfahrung ausschließlich im Wasser stattgefunden.

Viele unserer Spezies haben den Menschen als Gegner begriffen oder erfahren, während andere weiterhin die Vorgehensweise des friedlichen Miteinander bevorzugten. Dadurch ist in unsere Gemeinschaft das Element der Trennung oder Spaltung hineingetragen worden. Vorher bestand die einzige Unterscheidung unserer Wesen während der Paarungszeit, wo deutlich wurde, wer männlich-dominante oder weiblich-dominante Eigenschaften und Körpermerkmale in sich trägt.

Die für uns schwierigere Trennung ist diejenige des Geistes. Wir möchten euch darüber aufklären, was wir bisher über die Trennung und Spaltung der eigenen Art gelernt haben. Bevor wir Kontakt mit industriellen Maßnahmen und bedrohlichem Menschengebaren hatten oder uns, mit in unseren Lebensraum eingreifenden Ereignissen, die durch den Menschen manipuliert worden waren, auseinandersetzen mussten, waren wir untereinander geeint und wähnten uns alle gleich. Durch dieses Eintreten unerwarteter Ereignisse wurde klar, dass einige von uns anders auf eure Gegenwart reagieren als die anderen.

Diese unterschiedliche Reaktionsweise ist unter anderem darauf zurückzuführen, dass es ein höheres Aggressionspotenzial in verschiedenen unserer Individuen gibt, sowie ein Angstpotenzial, das sich auch in Aktion äußert: Flucht oder Kampf. Flucht und Kampf sind gleichermaßen angst-, aktivitäts- oder aggressionsbedingt.

Die anderen von uns, die eine friedliche Koexistenz befürworten, sind teilweise geprägt von kampflosem Rückzug oder friedliebendem Einheitsbewusstsein. Dabei sind diejenigen, die ich als friedliebende Einheitsbewusstler bezeichnet habe, in einer gewissen Weise aktiv, um darauf hinzuwirken, dass Einigung stattfindet, während diejenigen, die sich kampflos zurückziehen, auch das Moment der Resignation in sich tragen. All jene Charaktere, die ich euch jetzt beschrieben habe, sind bereits vier verschiedene Lager. Im Lager der Konfrontation befinden sich zwei Gruppierungen, im Lager der friedlichen Koexistenz ebenfalls.

Alle vier verschiedenen Herangehensweisen und Motivationen führen zu einer Verstrickung, die wie in einem Knotenpunkt zusammenfinden.

Dadurch, dass jedes Lager sich aus dieser Verknüpfung befreien möchte, entsteht eine Bewegung. Je nachdem, welches Lager sich am heftigsten bewegt oder in seine Richtung zieht, werden an allen anderen Stellen ebenfalls diese Zugbewegungen bemerkbar.

Ähnliches geschieht in eurer Gesellschaft. Nur mit dem Unterschied, dass eure Gesellschaft mehrere Lager, Ausrichtungen, Zugrichtungen und Lebensbestimmungen miteinander verknüpft hat.

Für unseren kollektiven Bewusstseinswandel haben wir einen gemeinsamen Beschluss gefasst. Dies ist euch Menschen schwerlich möglich, da ihr euch zu wenig bewusst darüber seid, dass ihr auf dieser Erde inkarniert seid, um eine Erfahrung für eure Seelen zu machen. Es geht nicht darum, als Individuum Reichtum, Materie, Wissen, Emotionen, Erlebnisse, Beziehungen oder Ähnliches anzuhäufen. Der Auftrag, mit dem jedes Lebewesen hier auf dieser Erdkugel inkarniert ist, ist der Wunsch nach Entwicklung, Entfaltung und Reife der seelischen Energiematrix.

Aus diesem Bewusstsein heraus war es uns möglich, in allen vier verschieden orientierten Lagern einen Konsens zu finden. Den Konsens der Weiterentwicklung und der Fokussierung auf das ursprünglich Wesentliche. Daraus entstand ein neues Wissen, eine neue Sichtweise und Perspektive auf die Dinge.

Alle vier Lager sind sich nun bewusst, dass sie nur eine Spielart der Reaktionsmöglichkeiten auf äußere Einflüsse darstellen. Dass ihr Wesenskern weiterhin mit dem Auftrag der Entwicklung und des Fortbestehens unserer Art committet ist und alle anderen Lager keine feindliche Gesinnung darstellen, sondern Unterarten von Reaktionsmöglichkeiten.

Jedes Individuum stellt sich für eine andere Art von Reaktionsmöglichkeit zur Verfügung und erfährt diese für unser gemeinsames Seelenganzes.

Wir haben gesprochen.

[Ellen: Das Bewusstsein mit dem ich sprach, sah wie ein überlebensgroßer Blauwal aus. Sie waren ganz viele, die gemeinsam einer gerichteten Bewegung folgten. Dieses Bewusstsein war von auffallend großer Reinheit, wie ein aufgestiegener Meister, aber noch inkarniert. Ich hatte den Eindruck, dass der Blauwal, mit dem ich kommuniziert habe, mindestens 800 Jahre alt ist.]

28
Gesaja

„Ihr erkennt eure eigene Macht, eure eigene Intelligenz und eure Möglichkeiten des Energie-Austausches, sodass sich die Geschichte nicht wiederholen wird."

Ich bin Gesaja. Ich bin ein Prophet der alten Zeit. Viele Jahrtausende vor eurer Zeit waren auf dieser Erde ganz andere Energien zugegen. Die Menschheit war auch in dieser Zeit schon vielschichtig und vielgestaltig. Dadurch, dass Leben auf Kontinenten stattfand, die räumlich und durch Wasser voneinander getrennt waren, entwickelten sich verschiedene Ausprägungen, die unterschiedlichen Wertvorstellungen und kulturellen Gegebenheiten folgten. So gab es Kulturen, die in friedlicher Koexistenz lebten, so wie Kulturen, die kriegerische Auseinandersetzungen suchten. Je nachdem mit welchem grundlegenden Bewusstsein sie hier inkarnierten. Manche Völker lebten vollständig autark. Andere trieben Handel. Wieder andere waren mit großem Erfindungsreichtum gesegnet und überwanden auch natürliche Grenzen – zum Beispiel durch Schiffbau.

Insgesamt waren damals jedoch nicht mehr als 800.000 Millionen Menschen inkarniert, sodass Begegnungen aller Völker (untereinander) nicht stattfanden. Die dichteste Bevölkerung befand sich innerhalb zweier vegetativ, klimatisch angenehmer Gürtel, innerhalb derer sie sich gut entwickeln und fortpflanzen konnten sowie ausreichend Nahrung hatten.

Einige Kulturen vervollkommneten den Ackerbau, während sich andere Kulturen auf die Vervollkommnung des materiellen Körpers spezialisierten und wieder andere auf die Vervollkommnung der Wissenschaft oder des menschlichen Geistes. Manche Entwicklungen liefen durch die Einspeisung aller Erfahrungen in das morphogenetische Feld überlagernd ab.

Mein Bewusstsein reicht weiter als meine Inkarnation vor einigen tausend Jahren. So habe ich Kenntnis über das Leben im alten Atlantis und Lemuria. Diese beiden Zivilisationen verbrachten einen sehr kurzen Zeitraum gemeinsam auf eurer Erde, wobei sich die lemurianische Gesellschaft bereits zum größten Teil in die höhere fünfte bis siebte Dimension zurückgezogen hatte.

Atlantis war eine Zivilisation, in der sich mehrere verschiedene Sternenvölker inkarnierten, die verschiedene Ausrichtungen hatten und die sich mit dem Volk terrestrischer Herkunft vereinigten.

In der atlantischen Gesellschaft herrschte eine Spaltung zwischen mindestens drei verschiedenen Gesinnungen.

Eine wissenschaftlich-rational geprägte Elite hatte großes Interesse daran, alle Möglichkeiten der Wissenschaft auszukundschaften. Eine weitere Strömung möchte ich bezeichnen als „philanthropischen Humanismus". Dies waren Inkarnierte, die weniger an den Möglichkeiten der Wissenschaft interessiert waren, sondern an den Möglichkeiten des menschlichen Geistes und des menschlichen Herzens sowie der Art des Zusammenlebens. Es ging um Experimente im Zusammenhang mit der menschlichen Kultur, der menschlichen Gesellschaft. So wurde beispielsweise mit verschiedenen Gesellschaftsverbünden, Familienverbünden, verschiedenen Arten der zwischen- und gleichgeschlechtlichen Ehe und anderen Gemeinschaften geforscht. Eine weitere Strömung war sehr naturverbunden und verfolgte keine wissenschaftlichen Ziele, sondern ein einfaches Leben in und mit der Natur.

Da sich alle diese verschiedenen Strömungen auf einem Kontinent und wenigen Inseln befanden, gab es zwischen ihnen Reibungspunkte und die wissenschaftliche Elite übernahm durch ihre Forschungen und Erkenntnisse die Führung. Was, wie ihr wisst, letztlich nicht den Untergang oder das Ende von Atlantis verhindern konnte. All diese Erfahrungen dieser Zeit stehen euch aus dem kollektiven Gedächtnis zur Verfügung. Daher ist es unwahrscheinlich, obwohl sich auch jetzt so viele verschiedene Völker auf der Erde befinden, dass sich ein Untergang oder eine menschliche Katastrophe wiederholt.

Gleichwohl sehen wir destruktive Strömungsfelder in eurer Gesellschaft. Da sich - wie ich bereits eingangs bemerkte - die Energie heute grundlegend von der damaligen Energieschwingungsfrequenz unterscheidet, steht zu erwarten, dass nicht die wissenschaftliche Elite-Führung weiter bis an die Spitze treiben kann, sondern dass durch die globale Schwingungserhöhung und eure Möglichkeiten der Vernetzung eine einseitige Entwicklung verhindert werden kann. Ihr erkennt eure eigene Macht, eure eigene Intelligenz und eure Möglichkeiten des Energie-Austausches, sodass sich die Geschichte nicht wiederholen wird.

29 Die Delphine

„Ihr seid mit der Absicht hier inkarniert, Verbindungen einzugehen."

Wir sind eine große Gemeinschaft von Individuen und Einzelwesen, die sich als ein Großes Ganzes verstehen und deren Schwarm oder Gruppenseele stärker ausgeprägt ist als die Erfahrungswelt, Sehnsüchte und Bestrebungen des einzelnen Lebewesens.

Für uns war der Planet Erde eine interessante Erfahrungsgemeinschaft, da viele Lebewesen des ersten Anbeginns der Besiedlung von Lady Gaia dem Meereswasser angehörten oder ihm entsprungen sind. (Anmerkung: Entsprungen meint, dass sie im Wasser erschaffen wurden. Manche Wesen haben das Wasser besiedelt und manche wurden aus Wasser erschaffen.)

Unsere Erfahrungsziele als Seelengemeinschaft dienten der Entdeckung von verschiedenen kollektiven und schwarmindizierten Verhaltensweisen. Auf unserem Heimatplaneten leben wir ebenfalls in Gruppen, die einen stärker ausgeprägten Gemeinschafts- als Einzelsinn haben.

In unseren Familienverbänden spürt jedes Einzelwesen jedes andere Individuum der Gruppe, als wäre es der eigene Körper, der eigene Gedanke, die eigene Temperatur- oder SinnenEmpfindung und der eigene Hunger, Durst nach Sauerstoff oder die Suche nach Geborgenheit der Gemeinschaft.

Erst wenn sich der Schwarm von einem Individuum entfernt, nimmt sich dieses als separiertes Teil des Großen Ganzen wahr. Diese Erfahrung, das erste Mal im inkarnierten Leben eines Delphins, ist, wenn sie nicht begleitet und geführt wird von der Gruppe, nicht anders als traumatisch zu bezeichnen.

Der Verlust des Gemeinschafts- oder Zugehörigkeitsgefühls ist für uns derart belastend, dass er nach Möglichkeit vermieden wird. Auch aus diesem Grunde sind Delphine, die in eurer Gefangenschaft leben, in höchstem Maße gefährdet, Suizid zu begehen.

Die Lebenslust oder der Lebensmut des Tieres hängt stark davon ab, ob es eine liebende Gemeinschaft gibt, der es zugehört. Im besten Falle übernehmen Pfleger oder gemeinschaftlich lebende Tiere der näheren Umgebung die Funktion der Familie. So haben es einzelne Individuen unserer Spezies dazu gebracht, euer Gebaren, eure Sprache, eure Ansinnen zu erlernen und darauf zu reagieren, wie sie andernfalls innerhalb ihres Familienverbandes darauf reagieren würden, dass andere Familienmitglieder Nähe, Futter, Sauerstoff, Anregung, Spiel, Jagd oder anderes ersehnen.

Wir sind durch unsere Lebensart dadurch ausgeprägt oder ausgebildet, die natürlichen Wünsche, Sehnsüchte oder Bedürfnisse anderer Individuen zu fühlen. Unser – mit euren Worten – ausgeprägtes Sozialverhalten rührt daher, dass wir keine Trennung voneinander wahrnehmen, während sich im Unterschied dazu eure Spezies immer als einzelnes Individuum wahrnimmt mit der Erlaubnis oder Ablehnung anderen Individuen gegenüber, Nähe zu suchen oder Nähe zu leben.

Euer ausgeprägtes Individualverhalten ist auch Zeichen oder Ausdruck davon, dass ihr euch von der Quelle abgeschnitten empfindet. Unsere Gemeinschaftswahrnehmung trägt in sich ein Kernbewusstsein der göttlichen Existenz. Wir sind uns im Klaren darüber, dass wir einen Erfahrungs- oder Erkenntnisauftrag hier auf dem Planeten vollziehen oder ausüben. Dabei sind wir in jedem unserer Lebensmomente auf den Jetzt-Augenblick fokussiert. Unser spielerisches Wesen ist Ausdruck dessen. Wir erleben jeweils das aktuelle Jetzt als den wichtigsten Punkt in unserem Leben, als der eine Grund dafür, inkarniert zu sein, als das eine wichtige Element, auf das sich unser gesamter Fokus bezieht. Dieser Fokus ist verbunden mit unserer göttlichen Herkunft. So erleben unsere Seelengeschwister und Seelenfamilie immer aktuell das, was jetzt um uns herum geschieht.

Wir übermitteln ihnen mit jeder Freude, die wir erleben, die Freude, die hier erlebbar ist. Mit jedem Abenteuer, das wir durchschwimmen, die Abenteuerlichkeit der materiellen Inkarnation, mit jedem Glücksmoment eines guten Fanges, den Glücksmoment des Sattwerdens der Gemeinschaft.

Dieses absolute Im-Moment-Sein oder diese absolute Eins-zu-eins-Übertragung zu unseren Seelengeschwistern und Partnern hält unsere Verbindung zu unserer Seelenfamilie aufrecht und gibt uns das Gefühl, wie an einem sicheren Ort inkarniert zu sein. Selbst dann, wenn sich unsere Wege von der Gruppe entfernen. Das erste Entfernen von der Gruppe ist daher so existenziell, da bei diesem ersten Mal das Jungtier darin geschult wird, die Verbindung aufrechtzuerhalten, derer es sich zuvor nicht bewusst ist, da sie allgegenwärtig ist. Erst durch das kurzzeitige Unterbrechen der Verbindung werden wir gewahr, welch starkes Band uns mit der Familie, dem Ozean, unserer Seelenfamilie und dem Planeten, auf dem wir inkarniert sind, verbindet.

Wir haben noch einige wertvolle Hinweise für euren aktuellen Übergang.

In Zeiten von Schwierigkeiten, Aufruhr, Trennung, Streit oder Auseinandersetzung zwischen uns und anderen Meereslebewesen haben wir gelernt, dass die eine einzige wichtige Fähigkeit, die unser Überleben sichert, folgende ist: Ein Individuum, das absichtlich von der Gruppe getrennt wurde, lassen wir in Frieden ziehen, damit es eine neue Gemeinschaft suchen und finden kann. Würden wir es länger als notwendig in unserer Gruppe festhalten, verlöre es seine Überlebenschance. Es muss die Freiheit besitzen, sich in ein neues Rudel, eine neue Familie einzufinden, auch dann, wenn sich diese neue Familie als Individuen einer artfremden Spezies herausstellt.

So hat es in unseren Reihen Delphine gegeben, die sich mit anderen Schwarmfischen wie Makrelen oder Heringen verbunden haben, die gelernt haben, Freundschaft zu schließen mit ihren Gefängniswärtern in euren Delphinarien, die gelernt haben, Kooperationen einzugehen mit Meeresschildkröten, Langusten und anderen. All dies war nur möglich durch das Loslassen der Gruppe.

Und auch für die Gruppe war dies ein notwendiges Überlebensmoment. Auf einer endlosen Suche nach dem verlorengegangenen Individuum würden wir Gefahr laufen, in unsichere Jagdgründe abzudriften, zu verhungern oder zu verdursten, da alle anderen Bedürfnisse nach der Suche des verlorenen Einen zurückstehen würden. Wir würden unsere Jungtiere in Gefahr bringen und das Fortbestehen unserer Art gefährden.

Der Grund, warum wir euch von dieser Vorgehensweise berichten, ist, dass ihr verstehen möget, warum ihr euch selbst aus euren Seelenfamilien gelöst habt, warum ihr einverstanden wart, ein von eurer ursprünglichen Heimat getrenntes Leben zu leben. Eure Freundschaften, eure Zusammenarbeit, eure Weiterentwicklung, all das basiert darauf, dass ihr eine Verbindung, eine Zugehörigkeit sucht, die euch erlaubt, eure individuellen Wünsche, Sehnsüchte und Träume auszuleben.

Ihr seid mit der Absicht hier inkarniert, jeder einzelne von euch, egal welcher ursprünglichen Rasse ihr einmal angehört habt, Verbindungen einzugehen mit allen Individuen, die eurer Art entsprechen. Egal, welcher Art sie innerlich sind. Eure Absicht war es, euch zu verbinden, ein Netzwerk zu schaffen zwischen allen Menschen und eine Zusammengehörigkeit zu erleben, eure heimatlichen Seelenfamilien vorübergehend zu verlassen und zu vergessen, um neue

Familien und Verbände zu gründen. Den Trennungsschmerz und den Wunsch zur Heilung desselben trägt jedes eurer Individuen in sich. Jede inkarnierte menschlich geformte Seele kennt diesen Schmerz und sucht bewusst oder unbewusst nach dessen Heilung.

Unsere Vorgehensweise und Strategie in solchen Situationen haben wir euch geschildert. Wir schließen neue Freundschaften und Familienverbände - auch mit artfremden Individuen. Wir ermöglichen dadurch uns und unserer artgleichen Familie das Überleben. Wir bereichern uns und unsere Familie mit diesen neuen Erfahrungen. Wir lernen neue Spezies und Kulturen kennen.

Unter anderem basiert unser umfassendes Wissen auch aus diesen fremdfamiliären Eindrücken.

So ist uns bekannt, wie menschliche Familien- oder Beziehungsstrukturen funktionieren. Uns ist bekannt, wie Langusten ebenfalls über ein Schwarmwissen verfügen, wie Seeschildkröten als Einzelgänger dennoch dazu bereit und in der Lage sind, einen emotionalen Verband, eine Bindung einzugehen. Wir wissen, wie viele Seesterne, Möwen, Makrelen, Algen und andere Lebewesen mit Gemeinschaften umgehen. All dies konnten wir nur erfahren durch unsere Bereitschaft, getrennt zu existieren von dem, was uns ausmacht.

Mit dieser neuen Sichtweise und dem darin enthaltenen Schatz oder Nutzen, möchten wir euch bereichern, um eine neue Denkweise, um eine neue Lösungsstrategie, um eine mögliche Vorgehensweise in eurer aktuellen gesellschaftsstrukturellen Situation.

Wir haben gesprochen.

30
Merlin

„Allein dadurch, dass ihr unsere Worte empfangt, lösen sich Begrenzungen."

Ich bin Merlin. Botschafter vom Rat des Dreigestirns. Gemeinsam zugegen mit den Hüterdrachen des Potenzials der gesamten Menschheit. Die Gemeinschaft der Hüterdrachen ist zusammengesetzt aus den verschiedenfarbigen Klängen unserer Galaxie. Auch wenn es eine Gemeinschaft ist, und sie so einem gemeinschaftlichen Ziel zustreben, so ist es doch keine homogene Gesellschaft.

Ich rekrutierte die Mitglieder nach mehreren hochstehenden Werten wie Belastbarkeit, Reinheit, Ausdauer, Loyalität der Schöpfung gegenüber und Liebesfähigkeit. Manche Mitglieder der Hüterdrachen strömten mir zu, für andere wiederum musste ich einen sehr weiten Weg auf mich nehmen. Diese illustre Runde, die auch die Vielfältigkeit eurer Galaxie widerspiegelt, steht immer zusammen, und sie steht ein für das Gelingen dieses Projektes: dem gemeinsamen Aufstieg und der Bewusstwerdung von Lady Gaia und der Menschheit.

Die Gemeinschaft der Hüterdrachen ist sehr alt. Sie hat bereits mehrere Bewusstseinswandel, mehrere Transformationen von Planeten, humanoiden Lebensweisen und anderen extraterrestrischen Lebensformen begleitet.

Uns kommt die große Aufgabe zu, Hüter eures Potenzials zu sein. Hüter eines jeden höchsten Potenzials jedes Menschen auf Lady Gaia. Diese Aufgabe ermächtigt uns, bei großen Entwicklungssprüngen zugegen zu sein, die Menschen mit ihren Potenzial-Sphären auszustatten und die jeweils benötigten Schlüssel zu aktivieren. Dazu stellen wir, wenn es uns geeignet erscheint, jedem Menschen, der diese

Sphäre erhält, einen Hüterdrachen zur Seite, der dem jeweiligen Energie-Potenzial des Individuums entspricht.

Dies ist der Grund, warum die Gemeinschaft der Hüterdrachen aus vielen Orten der Galaxie stammt. Ihre Verschiedenartigkeit entspricht eurer Verschiedenartigkeit – der Verschiedenartigkeit der Menschheit. Wären wir von nur einem Drachengeschlecht, so könnten wir unsere Aufgabe nicht optimal erfüllen. Dass nun eine Bewusstwerdung stattfindet, dass Drachengeschlechter außerhalb des astralen Raumes existieren – all das zusammen macht es uns einfacher, mit euch Kontakt aufzunehmen.

Allein dadurch, dass ihr diese Worte empfangt, lösen sich Begrenzungen in euren Gedanken, eurem Denkapparat und euer Bewusstsein erweitert sich. Diese Bewusstwerdung wird wiederum eingespeist ins kollektive Ganze und somit auch anderen Menschen zur Verfügung stehen.

Es bereitet mir und uns ein ganz besonderes Vergnügen, mit dir, Zeda, zusammenzuarbeiten, denn wir sind alte Gefährten. Wir freuen uns auf diese Neue Zeit, in der wir gemeinsam zugegen sind, wenn sich der Neue Mensch erhebt. Es ist uns eine Ehre, jetzt hier zugegen zu sein.

31
Situje

„Ich verknüpfe euren Denkapparates neu."

Ich bin Situje vom Siebengestirn. Meine Präsenz bei euch im Raum erhöht sofort dessen und eure Schwingung.

Meine Erfahrungen des Menschseins können euch von großem Nutzen sein, da ich alle emotionalen und rationalgeistigen Zustände erlebt habe, die es den Menschen erschweren, sie selbst zu sein, sich selbst zu vertrauen und ihrer Seelenführung den Vorrang vor allen verstandesmäßigen Gesetzen zu geben.

Ich möchte zu allen sprechen:

Ich werde eine Neuverknüpfung eures Denkapparates vornehmen.

Ich löse daher jetzt viele alte und althergebrachte, euch nicht mehr dienliche Muster aus euren Geistes-Energien. Dies wird euren Geist für das Neue Denken öffnen. Ihr werdet, beziehungsweise euer Geist wird durchlässiger für die neuen Energien und es entstehen neue Verknüpfungen. Durch diese neuen Verknüpfungen wird sich das Neue Denken entwickeln. Das, was euch vorher als unmöglich und undenkbar erschien, wird euch in Zukunft als ganz selbstverständlich erscheinen – wie ihr so schön sagt: „Das ist das Neue Normal".

Um eure geistige Verwirrung dabei so gering wie möglich zu halten (er lacht) oder auf das geringstmögliche Maß zu beschränken, erstelle ich ein Verbindungsfeld zwischen altem und Neuem Denken, sodass euch einerseits die Unterschiede leichter bewusst werden und euch andererseits das Loslassen des alten Denkens ebenso leicht fallen wird.

Auf zu neuen Ufern!

Wir freuen uns schon auf die weitere höchst amüsante Zusammenarbeit.

Wir haben gesprochen und verabschieden uns jetzt.

32
Zeit-Portal – Aktivierung 1

Die ZeitPortal-Aktivierung fand am 28.08.2020 statt. Die Aufzeichnung inklusive aller Energien findest du auf unserem 77ThetaTrans™-Youtube-Kanal:
https://youtu.be/EQzuiR22ymA

Nimm dir einen Moment Zeit, deinen ganz persönlichen Atemrhythmus zu erfahren, ihn einfach zu spüren, wie er deinen Körper durchströmt und belebt. Du musst nichts verändern. Es gibt nichts, was es jetzt zu tun gibt.

Wenn dein Verstand viele Fragen hat, dann gib ihm den Auftrag, alles zu beobachten, um dir hinterher zu sagen, was war – ganz ohne Bewertung – der nächste Schritt, das nächste Bild, die nächste Körperempfindung.

Und mit deinem nächsten ganz bewussten Atemzug lenkst du deine Aufmerksamkeit tief hinunter in deinen Körper, vielleicht in dein Wurzel-Chakra oder in deine Fußchakren. Und wenn du magst, lenkst du mit dem nächsten Atemzug deine Aufmerksamkeit sogar noch über deinen Körper hinaus in Mutter Erde.

Du musst nicht ihren Mittelpunkt suchen, sondern verbinde dich mit ihrem Wesenskern. Spüre sie einmal. Sie ist ein eigenes Bewusstsein, ein eigenes Lebewesen. Wenn dir das hilft als Bild, dann suchst du gerne einen Punkt unterhalb der Erdkruste.

Lass die Empfindungen, die von Mutter Erde als Antwort kommen, in deinen Körper strömen, sich auf ganz natürliche Art und Weise ausdehnen und die eigene Geschwindigkeit, die eigene Größe, die eigene Form, die eigene Sinnenempfindung einnehmen. Erlaube dir, dass sich dieser Zustand ganz mit dir verbindet, dass es zu einem ganz ge-

wohnten Moment, zu einer ganz gewohnten Empfindung wird.

Den nächsten Atemzug lenkst du ganz bewusst über dein Kronen-Chakra hinaus nach draußen zu deinem eigenen höchsten Bewusstsein und vertrau darauf, dass du diesen höchsten Punkt, diese höchste Schwingung deiner eigenen Präsenz auf jeden Fall treffen wirst. Du wärst sonst nicht hier inkarniert. Es ist alles da.

Dieser Punkt sendet ebenfalls Energien hier in deinen Körper. Da, wo jetzt schon die Schwingungen von Mutter Erde zu spüren sind, beginnen jetzt beide, wie sich kennenzulernen. Sie durchflechten und durchweben sich in deinem Körper.

Erlaube ALLES. Auch, wenn es dir komisch oder schief vorkommt. Es gibt kein richtig oder falsch. Es gibt nur dich und es gibt nur JETZT und es gibt nur das, wie es jetzt gerade geschieht. Alles ist gut.

Du bist ausgerichtet zwischen Himmel und Erde.

Dein Verstand hat die Aufgabe, zu beobachten und eine Aufzeichnung der Geschehnisse zu machen.

Alle deine Führer, Geistführer, Lehrer, Helfer und Schutzengel sind da.

Alle unsere Helfer des Übergangs sind auch da.

Ich spreche mit: Die Zukunft.

Die Zukunft

All eure Energieströmungen, die ihr im Herzen tragt, die eurem Seelenplan oder Seelenweg entsprechen, werden aus eurer Herzensmitte in die Welt entsendet. Zum aktuellen Zeitmoment eurer linear geordneten Inkarnation richten sich all eure Seelenwege, Seelenwünsche, Seelenbestrebungen auf eine gemeinsame Veränderung aus. Jedes

Lebewesen, das zurzeit hier inkarniert ist, ist zurzeit mit euren Worten „auf die gleiche Himmelsrichtung" fokussiert.

Während dieser Momente eures chronologischen Erlebens trefft ihr auf viele andere, die ebenfalls den gleichen Weg mit euch bestreiten. Egal zu welcher Nation, Rasse, Hautfarbe, politischen, religiösen oder wirtschaftlichen Gesinnung oder Gruppe sie gehören. Alle streben diesem Übergang entgegen. Alle gehen Seite an Seite durch diesen energetischen Korridor in eurer Zeitgeschichte.

Viele Zeitsprünge hat eure menschliche Zivilisation bereits erlebt. Die meisten dieser Übergänge erlebte das Menschengeschlecht getrennt voneinander in verschiedenen Gruppierungen gleicher Gesinnung. Es ist der zweite Zeitsprung seiner Art, der ALLE Bevölkerungsgruppen, Seelenherkünfte, Seelenfamilien, neu entstandene Spezies und alte Rassen miteinander, gleichzeitig nebeneinander, mit dem Wissen des einen um den anderen durchschreitet. Diesem besonderen Umstand ist es zu verdanken, dass aktuell auch in eurer materiellen Erlebniswelt so viel Veränderung herbeigeführt und herbeigesehnt wird.

Ich bin, auch wenn ich unterschiedliche Schwingungen von Liebe, Streit, Unfrieden, Freude, Erfüllung, Erfolg, Missgunst und alle anderen Strömungen enthalte, eine neutrale Macht, eine neutrale Energiegröße. Alles und jedes hat in mir Platz und trägt dazu bei, mich permanent zu formen, mich permanent zu kreieren und mich in jedem Augenblick des eigenen Daseins neu zu gestalten. Ich bin ein stetig sich verändernder Energiestrom neutraler Güte.

Um meinen Weg freizumachen und damit für all eure Seelenströmungen, Seelenwege, Herzenswünsche und körperlich-menschlichen Sehnsüchte den Weg zu ebnen, öffnet ihr heute dieses ZeitPortal, das wir vor acht Wochen begonnen haben, vorzubereiten und seit acht Tagen in deinem (Ellens) Bewusstsein verankert haben.

Zeda spricht.

Zeda

Ich bin Zeda, Schöpferdrachin dieses Universums. In meiner Vergangenheit war mir nicht zu allen Zeitpunkten bewusst, welche Aufgabe ich in dieser Welt erfüllen werde, die so groß und mächtig ist, dass sie den Visionen meiner Kindheit entsprechen könnte. Meine irdische Existenz mit meinem großen Bewusstsein zu vereinbaren, war für lange Zeit damit verbunden, mich absolut von allem Göttlichen abzuschneiden, meine Wahrnehmung, meine Energieströmungen aufs konsequenteste kleinzuhalten, um ein vorzeitiges Erwachen und Handeln im Sinne des Universums zurückzuhalten.

Heute ist ein wichtiger Zeitpunkt für mich persönlich. Ein inneres Überschreiten der bisherigen Grenzen, der bisherigen gedachten Linien, der bisherigen angenommenen Fähigkeiten. Mit der Öffnung des Energieportals begehe ich gleichermaßen einen persönlichen Fortschritt, so wie ich auch der gesamten Menschheit ein erleichtertes Vorwärtskommen ermögliche.

Durch dieses ZeitPortal wird es möglich, dass sich alle Strömungen, die im Moment gleichgerichtet in einer gemeinsamen Zukunft münden, beschleunigen, eine Schwingungserhöhung erfahren und in einem harmonisierten Strahl in der neuen Zeitlinie wieder freigelassen oder Ausdehnung erfahren werden.

Ich habe dazu an meiner Seite: Merlin vom Orden des Dreigestirns, Hüter der Drachen des vollkommenen menschlichen Potenzials. Ich habe hier an meiner Seite: Maria, Aphrodite, Jesus, die alte schamanische Weisheit dieser Erde, Mutter Erde und die bedingungslose Liebe in persona, Erzengel Michael und seine Gesandten.

Jedes einzelne dieser Schöpferwesen hat bereits auf diesen Zeitpunkt hingewirkt, all seine individuelle persönliche Entwicklung darauf abgestimmt und tritt heute mit seinem gesamten Wesen, seiner eigenen persönlichen Leuchtkraft hier in unseren Kreis und hält das Feld zur Eröffnung des ZeitPortals.

Die Energien beginnen sich jetzt zu formen. Das Portal ist kein regionaler oder geografischer Ort. Es besitzt keine eigene zeitliche Ausdehnung. Eher bewegt es sich wie ein dreidimensionales Energiefeld mit euch gemeinsam durch die vor euch liegende chronologische Zeit.

In euren Bildern vor eurem inneren Auge könnt ihr dieses Portal als großes Lichtfeld verschiedener kristalliner Färbung, Dichte, Ausrichtung und Klangform wahrnehmen.

Mit eurer Hilfe und mit der Hilfe aller Liebe derjenigen, die jetzt gedanklich oder persönlich bei uns sind, beginne ich, dieses Energiefeld so auszuformen, dass es die gesamte Menschheit begleiten, aufnehmen, jeden einzelnen umhüllen und sicher hinübergeleiten kann.

Zu euer aller Wohl gibt es in diesem Energiefeld keine Ausrichtung auf das Wohin, Wie, Wann, Wo sich euer Schicksal erfüllt. Die einzige Ausrichtung der Energie besteht darin, dem Strom des Übergangs zu folgen und die Menschheit in sich aufzunehmen und zu transportieren wie in einem sicheren, geborgenen Vehikel, eine innere Ruhe, Kraft, Bewusstheit auf das eigene Wesentliche und die Harmonisierung der eigenen Strömungsrichtung mit der kollektiven Strömungsrichtung zu erwirken.

Für die Zeit nach dem Übergang dürft ihr wissen, dass ihr bereits jetzt eine Schwingungsfrequenz eingenommen habt, die der Schwingungsfrequenz auf der anderen Seite des Zeitsprungs oder Bewusstseinssprungs der Menschheit entspricht. Dadurch wirkt ihr für alle anderen Menschen in eurem Umfeld als ein Wegweiser, Leuchtturm, Richtungweisender, ein Pionier oder Pilot der Neuen Zeit. Seid euch dessen bewusst, wenn ihr viele Fragen auf euch zukommen seht, fremde Menschen eure Hilfe ersuchen oder sich Gruppierungen in eurem aktuellen Umfeld nach der Neuen

Energie hin ausrichten, eventuell Freundschaften sich neu finden und andere voneinander lösen.

Für euch direkt Beteiligte bedeutet dies, dass ihr die Übergänge der aktuellen Zeit in einem kürzeren irdischen Zeitrahmen vorerlebt, um andern die Hand zu reichen, während sie durch die Tür treten.

All mein Wesen, all mein Wissen, all mein liebevolles Leuchten dient eurer Entwicklung, eurer Entfaltung und eurem Bestand als besondere Spezies. Aus verschiedenen Ecken und Enden des Universums seid ihr hier auf Erden inkarniert, um die holografische Vielfalt dieses Lernplaneten für eure Erfahrungen zu nutzen. Ihr habt euch im Laufe der Zeit untereinander vermischt. Ganz neue Spezies sind entstanden, die außerhalb von Mutter Erde nicht hätten existieren oder Bestand haben können. All jenes Leben, das hier zu dieser Zeit aktuell inkarniert ist, gilt es zu schützen. Gilt es, mit aller Liebe die Weiterentwicklung zu ermöglichen. Gilt es, in einem geeinten Strom vorwärtsfließen zu lassen in die jeweils eigene Erfüllung.

Ich habe gesprochen und übergebe das Wort an Merlin.

Merlin

Ich bin Merlin. Botschafter vom Rat des Dreigestirns, Hüter der Drachen für das höchste Potenzial eines jeden Menschen auf Erden.

Ich bin mit meinen Hüterdrachen zugegen, um den Prozess des Bewusstseinswandels zu begleiten und zu unterstützen. Mit uns gekommen sind Allianzen vieler Planeten und Sternengeschwister, die ebenfalls zugegen sind und dem Aufstieg von Lady Gaia und ihrer Menschheit wohlgesonnen sind.

Ich bin zugegen, um heute die Potenzialschlüssel für Mutter Erde zu aktivieren. Ihr alle seid Zeuge. So rufe ich meine Hüterdrachen auf, die Sphäre mit den Potenzialschlüsseln für das höchste Potenzial von Mutter Erde und ihren Geschöpfen nun hinabzusenken durch das Portal bis hinein in ihren Wesenskern.

Es ist vollbracht. Die Aktivierungen der entsprechenden Potenzial- und Aufstiegssequenzen werden zu den gegebenen Zeitknotenpunkten aktiviert werden.

Um diesen Prozess zu unterstützen, sind wir jederzeit zugegen. Wir danken allen Anwesenden für ihre Präsenz und ihre hochschwingenden Energien. Je mehr Menschen sich ihres höchsten Potenzials bewusst werden und sich danach ausrichten, desto einfacher, leichter und schneller wird der Bewusstseinswandel, den ihr Aufstieg nennt, vonstattengehen.

Wir danken euch. Es war uns eine Ehre, mit euch zu wirken

Wir haben gesprochen.

Zeda

Ich vervollständige die Ausdehnung des ZeitPortals, seine Reinheit, Klarheit und seine Präsenz des vollkommenen reinen Lichts. Dazu erhöhe ich die Schwingungsfrequenz ein weiteres Mal.

In mehreren Stufen wird sich die Schwingungsfrequenz innerhalb der nächsten drei Stunden vervollständigen. Innerhalb dieser Zeit werdet ihr als direkt Beteiligte diese Schwingungserhöhung wahrnehmen, an euren Körpern spüren und in eurem Bewusstsein erkennen. Alle, die jetzt aktuell, in diesem Moment LIVE unsere Begleiter waren, werden diesen Zeitraum ebenfalls als schwingungsverändernd wahrnehmen.

Alle anderen, die später als Aufzeichnung ihre persönliche Erfahrung mit den Energien des ZeitPortals machen möchten, werden keine mehrstündigen Nachwirkungen erfahren. Dadurch wird die Wirksamkeit oder das Vorhandensein des Portals in keiner Weise beeinflusst.

Die Veränderungen der nächsten drei Stunden sind tatsächlich mit eurem aktuellen Zeitmoment verknüpft, während die Gesamtwirkweise des Portals sich mit jedem Menschen in seiner persönlichen Geschwindigkeit fortbewegt und ihn umhüllt und begleitet.

Ich schätze mich glücklich und geehrt, dass ich von euch allen die Erlaubnis hatte, diese Aktivierung des ZeitPortals vorzunehmen, dass all eure Seelen dazu beigetragen haben, diesen Punkt für die gesamte Menschheit jetzt zu erreichen und den Übergang zu vollziehen.

Ich danke allen hier in diesem Raum anwesenden Helfern aus meinem tiefsten Herzen und aus ganzer Seele.
Danke.

Vierter Teil

Umschwung.

33
Merlin

„Durch die Aktivierung der Potenzialschlüssel wurde die Bewusstwerdung beschleunigt."

Ich bin Merlin, Hüter der Drachen des höchsten Potenzials der Menschheit. Botschafter vom Rat des Dreigestirns.

Ich bin gekommen, um euch Kunde zu geben von den großen Veränderungen, die derzeit stattfinden. Von den großen Umwälzungen und dem Tsunami der Liebe. Von unserer Warte aus ist deutlich zu erkennen, dass das ZeitPortal, das ihr eröffnet habt, und das Potenzial, dass ihr durch das ZeitPortal für Lady Gaia zur Verfügung gestellt habt, gut integriert wurden.

Diese erste Sequenz von einer Folge mehrerer Aktivierungen und weiterer Öffnungen war notwendig, kritisch und essentiell für den weiteren BewusstseinsAufschwung von Mutter Erde und all ihren Geschöpfen.

Ohne diese ZeitPortal-Öffnung wärt ihr auf einer anderen Zeitlinie vorangeschritten. Durch die Öffnung wurde eine neue Zeitlinie erschaffen, auf der Lady Gaia mit all ihren Geschöpfen nun weiter in die Zukunft geht. Durch die Aktivierung der Potenzialschlüssel wurde die Bewusstwerdung beschleunigt.

Der Bewusstseinssprung, den Lady Gaia erfährt, beeinflusst auch euch. Ihr könnt es euch vorstellen wie einen jungen Rasen, der neu angelegt und gedüngt wurde und aus dem jetzt zahlreiche junge Grashalme sprießen, die sich eifrig der Sonne entgegenstrecken. So fließt auch das neue Bewusstsein aus jeder Pore von Lady Gaia und beeinflusst all diejenigen, die auf ihr wandeln oder mit ihr verbunden sind. Das bedeutet, es beeinflusst nicht nur das Menschengeschlecht und alle weiteren Geschöpfe, Tiere und Pflanzen, sondern auch Sphären, Planeten und Galaxien.

Dies ist auch der Grund, warum diese Eröffnung des ZeitPortals so kritisch war - so notwendig zu diesem Punkt in eurer Geschichte. Die Vervielfältigung der Potenzialschlüssel wird bewirken, dass immer mehr Menschen sich dem Licht zuwenden, so, wie die Grashalme sich der Sonne zuwenden.

Das, was verborgen liegt, wird ans Licht kommen.

Der Sumpf wird trockengelegt werden.

Die Frösche (Bewohner des Sumpfes) werden sich ein neues Zuhause suchen müssen.

All diejenigen, die für den gemeinsamen Weg mit Mutter Erde sind, werden immer kräftiger und immer zahlreicher werden. So wie sich die Rasendecke immer weiter schließen wird, so wird sich auf Mutter Erde die Anzahl derjenigen vervielfachen und flächendeckend werden, die für das Licht sind.

Wir möchten darauf hinweisen, dass diejenigen, die dem Licht entgegenstreben, mit ihren Füßen aus der Dunkelheit kommen. Dies ist wichtig zu verstehen, weil sonst kein harmonisches Gleichgewicht geschaffen werden könnte oder entstehen würde. Die Wurzel des Grashalms liegt unter der Erde im Dunkeln.

Werden und Vergehen sind eins.

Licht und Dunkelheit sind eins.

So ist es nicht sinnvoll, diejenigen zu verteufeln, die auf der vermeintlich dunklen Seite stehen und gegen das Licht kämpfen. Ein jeder spielt seine Rolle und ein jeder durchschreitet sein Leben mit dem Potenzial, welches ihm zur Verfügung steht. Der eine Mensch hat das höchstmögliche Potenzial zu hassen oder Unfrieden zu säen. Ein anderer hat das Potenzial, Frieden zu wirken und Liebe zu verbreiten. Beides ist zugelassen, solange sich die Welt noch in der Dualität befindet.

Es wird die Zeit kommen, in der die Dualität überwunden wird, dann werden auch die niederschwingenden Aspekte überwunden sein. Um Liebe zu erfahren, ist es dann nicht mehr notwendig, Hass zu kennen, da diese Erfahrung dann ausreichend im kollektiven Gedächtnis gespeichert ist und erfahren wurde.

Wir versichern euch, dass all das, was passiert, eure eigene Schöpfung ist. Es ist nicht nur Schöpfung um der Schöpfung willen, sondern sie verfolgt einen höheren Plan. Es ist nicht nur ein Glücksspiel, sondern zielgerichtet. Das Ziel hinter diesem Geschehen ist es, alle Aspekte zu erfahren und die Dunkelheit durch das Licht zu transzendieren. So, wie das Licht von der Dunkelheit transzendiert wurde. Von der lichtesten Zeit ging es in die dunkelste Zeit. Nun ist die dunkelste Zeit schon lange vorüber und ihr strebt wieder dem Licht entgegen. Ohne Urteil, ohne Wertung ist diese Zeit am einfachsten zu durchschreiten.

Wir danken euch für eure Aufmerksamkeit und bieten euch weiterhin unser Geleit an.

34
Lady Gaia

„Dank euch spüre ich meine eigene Präsenz klarer als je zuvor."

Ich bin Lady Gaia. Auch ich möchte mein Wort an euch richten und euch wissen lassen, welch positive Veränderung ich seit gestern erfahren habe.

Aus meinem eigenen bewussten Erleben heraus empfinde ich eine Veränderung in meiner gesamten physisch materialisierten Präsenz. Ein jeder Baum, eine jede Landmasse, ein jeder Wassertropfen im Ozean ist heute für mich klarer wahrnehmbar, deutlicher zu spüren und konkreter zu unterscheiden von einem jeden anderen seiner Art. Meine Sinne und Wahrnehmungen sind geschärft. Meine Aufmerksamkeit richtet sich nicht länger auf das unzweifelhaft störende Geschehen in meinem Innern.

Mein eigener Lernprozess ist es, Hilfe anzunehmen, Heilung wahrhaft zu empfangen, in eine höhere Bewusstseinsebene ohne Schuld- und Opferempfindungen zu wechseln und all jenes wahrhaft über Nacht zu erfahren, dessen ich mir unsicher war, ob ich es jemals erfahren könnte.

Meine Liebe zu allen Geschöpfen, die auf mir wandeln, hat sich ebenfalls auf eine höhere Ebene transformiert. Alles in mir wirkt wach oder erwachend. Ich spüre meine eigene Präsenz klarer als je zuvor.

Der Zeitlinienwechsel, über den Merlin zu euch gesprochen hat, ist für mich spürbar gewesen wie eine Türschwelle, an der man stolpert und dadurch gegen den Pfosten schlägt. Dieses unerwartete Stolpern hat zusätzlich zum Wachwerden beigetragen wie ein Energie- oder Adrenalinschub durch einen Schreck oder Schock.

Obwohl die Zeitlage kritisch war für diesen besonderen Zeitlinienwechsel, ist auch dies eindeutig eine perfekte Orchestrierung. Ihr habt während eurer Arbeit gespürt, dass alles andere vorerst nachranging ist und seid diesem Impuls gefolgt.

Für viele Menschen wird es jetzt einen ebensolchen Übergang mit kurzem Stolpern, Erwachen oder wach fühlen durch den möglichen Schrecken und dann eine sehr von Klarheit geprägte Neue Zeit geben.

Ich habe gesprochen.

35
Zefira

„Reise mit mir in das Herz der Mongolei."

Ich bin Zefira. In unserer Zivilisation der lemurianischen Gemeinschaft haben wir unter anderem im Einklang gelebt mit den Naturvölkern, Naturdevas, Naturwesenheiten, mit Geschöpfen, die ihr als Fabelwesen kennt, und den höher bewussten Lebewesen dieses Planeten. Zu diesen „höher bewussten Lebewesen" dieses Planeten gehörten unter anderem die Wale, Delphine, Dinosaurier, Flugechsen, das vergessene Waldvolk. Darüber hinaus die Feen, Elfen, Gnome, Zwerge und Leprechauns. Ebenfalls waren wir vertraut mit Einhörnern, Zentauren, Faunen und Zyklopen sowie verschiedenen Trollen und siliziumbasierten Steinwesen.

Es war für uns eine Selbstverständlichkeit, diese Erde und ihre Gemeinschaft auf eine offene, verbindliche Art und Weise wahrzunehmen. Wir führten enge Beziehungen zu den Elfenwesen und haben eine innige Verbundenheit und Resonanz zu deren Volk empfunden.

Viele der genannten Wesenheiten haben sich in einem parallel verlaufenden Prozess in die fünften Dimensionen verschoben. Einige Wesen sind in ihrer körperlich materialisierten 3D-Existenz verblieben. Wieder andere haben sich in Bereiche eurer 3D-Welt zurückgezogen, die ihr schwer betreten oder nicht wahrnehmen könnt, die dadurch aber nicht an „Realität" verlieren.

In Irland, Schottland und generell auf der britischen Insel sowie in Island, Kanada, Alaska, der Tundra und Taiga gibt es nach wie vor viele Bereiche, die durch Schutz-„Zauber" vor dem Betreten, Erkennen und Sichtbarwerden für die Menschen geschützt sind. An denen sich auch Wesenheiten wie der Yeti, Satyrn, yakähnliche Geschöpfe mit menschlich anmutendem Gesicht[8], die Moorkönige und, um eine weitere wichtigere Spezies nicht zu verschweigen, auch die Luftdragoner befinden.

Was alle diese Wesen miteinander verbindet, ist ihr Interesse, in einem geschützten Raum sich selbst und ihre Spezies weiterzuentwickeln, ihre Bewusstseine zu schulen und individuelle Erfahrungen für ihre Seelenpräsenz zu sammeln.

Ich möchte euch einladen zu einer Reise in das Herz der Mongolei. Mit eurer Erlaubnis hole ich die Energien eines Herzstücks Asiens hier zu euch an diesen Ort und lasse euch erfahren, wie im mongolischen Volk die Verbundenheit mit den Natur- und Fabelwesen empfunden, gelehrt und erfahren wird.

In einem Umkreis um euch herum etablieren sich JETZT die Energien des mongolischen Volksglaubens, der mongolischen Wurzeln der Menschheit, der Präsenz der Anders-Völker und der Kraft von Mutter Erde.

In diesen Strom eingebettet nehmt ihr euren eigenen Körper verändert wahr.

Erlebt ihr neue Gedankenbilder und innere Einsichten.

Spürt ihr die Vernetzung und Berührung aller vor Ort anwesenden Spezies.

Wird euch über die Präsenz von Mutter Erde energetische Information zur Verfügung gestellt, die sich mit euren Eindrücken, eurem Wissen, euren Wahrnehmungen und eurem Spüren synchronisiert, harmonisiert und dauerhaft vernetzt.

---

[8] Wir konnten keine Informationen zu diesen Wesen oder deren Namen herausfinden.

Ihr könnt aus dieser Erfahrung eures Jetzt-Moments in all eure Zukunft und all eure Vergangenheit diese Verbundenheit fortführen, sie in eurem Tagesbewusstsein verankern und für alle zukünftigen Erfahrungen, Erlebnisse, Intentionen, Begegnungen und euch innewohnenden Fragen herbeiziehen, verwenden und nutzen.

Ich erteile euch meinen Segen und verbinde euch mit der Bewusstseinsmatrix der AndersVölker von Mutter Erde und eurem eigenen kollektiven Menschheitsbewusstsein, in welchem die AndersVölker real und selbstverständlicher Teil des Lebens sind.

Ich habe gesprochen.

36
Portale Wahrhaftigkeit und Erkenntnisfähigkeit – Aktivierungen 2 und 3

Die Aktivierung des Doppelportals Wahrhaftigkeit und Erkenntnisfähigkeit fand am 02.09.2020 statt. Die Aufzeichnung inklusive aller Energien findest du auf unserem 77ThetaTrans™-Youtube-Kanal:
https://youtu.be/ZVrwsKjw-DE

Zeda

Ich bin Zeda. Während eures Übergangs aus der einen Bewusstseinsbandbreite in die nächste werde ich euch dauerhaft begleiten und führen. Es steht euch natürlich frei, dieser Führung zu folgen oder einen eigenen Weg einzuschlagen, zu suchen und zu finden.

Während des Übergangs werden 16 Energieportale geöffnet, von denen eines ein Doppelportal ist. Auf diese Weise entstehen 17 Energieübertritts- oder Transformationsfelder, die euch, der gesamten Menschheit und allen Lebewesen und Geschöpfen inklusive Lady Gaia und den planetoiden Geschöpfen eures Sonnensystems einen leichteren Übertritt ermöglichen.

Ich beginne die Erstellung des Doppelportals Wahrhaftigkeit/Erkenntnisfähigkeit. Beide Portale liegen direkt hintereinander, sodass jeder, jedes Wesen, jede lebendige Schöpfung, die mit der Energie der Wahrhaftigkeit in Kontakt tritt, in die Erkenntnisfähigkeit hinübergeleitet und getragen wird.

Zur Wahrnehmung der Wahrhaftigkeit gehört unter anderem die Loslösung von alten Gedanken, Bildern und Strukturen, die in der Neuen Zeit nicht länger dienlich sein werden. Die Vorstellung von Schuld-Sühne, Täter-Opfer, Ursache-Wirkung, Auslöser und Reaktion wird sich für alle

Wesen in ein neues Bewusstsein wandeln. Von jetzt an wird es euch möglich sein, in allem die eigene Schöpfung zu erkennen. In allem, was ihr erlebt, wahrzunehmen, dass ihr selbst Kreator dieser Erlebnisse, Energien und Situationen gewesen seid.

Darüber hinaus wird es euch möglich oder neuerdings logisch erscheinen, die alten Kreationen zu verlassen und in eine neue Schöpfung überzutreten oder zu wechseln. Dazu sind die Energien der Erkenntnisfähigkeit insbesondere hilfreich. Sie erlauben euch, das neu Wahrgenommene neu einzuordnen und zu einem neuen Bewusstseinsmuster auszulegen und für euch zu nutzen. Dieses neue Bewusstseinsmuster ist wesentlich freier oder lockerer gewebt, als alle Muster, die ihr als Menschheit bisher genutzt und angewendet habt.

Ich wähle bewusst solche aktiven Verben, da es immer mehr darum geht, in die Eigenmacht und Selbstermächtigung überzuwechseln. Es ist keine Bürde, sondern ein großes Geschenk, alles selbst kreieren zu können, in aller bisherigen Kreation das eigene Wirken und Tun zu entdecken und durch kleinere Verhaltensänderungen großartige neue Wirkungen zu erzielen.

Die Bewusstseinswandlung, der ihr jetzt in diesen Wochen alle beiwohnt, hat eine besondere Qualität. Vergangene Bewusstseinsentwicklungen der aktuellen menschlichen Gesellschaft haben kleinere Schritte vollzogen, hatten weniger globale Unterstützung, sondern gingen früher von kleineren Menschengruppen aus, die zum Beispiel über verschiedene religiöse Lehren, Tempelaufenthalte oder eine besondere Fokussierung auf das spirituelle Wesen des Menschen gerichtet waren.

Von diesen Menschengruppen aus verteilte sich dann das neue höhere Bewusstsein in alle anderen Bevölkerungsschichten und Volksgruppen, sodass ein regionales Prinzip zugrunde lag. Regionen auf der Erde, die wenig Kontakt zu spirituell Reisenden oder spirituell gelehrten Menschen hatten, haben Bewusstseinssprünge erst in stark verzögerter Zeit absolvieren können.

Für den aktuellen Bewusstseinswandel verändert sich diese Verbreitung unter der Erdbevölkerung auf ganz besondere Weise. Über eure verschiedenen technischen Möglichkeiten sind heutzutage Menschen miteinander verknüpft oder vernetzt, die sich vis-à-vis, von Körper zu Körper noch nie begegnet sind oder eventuell auch nie begegnet wären. Jetzt, heutzutage, ist es ihnen möglich, Informationen, Worte, Gefühle, Energien auszutauschen über die sogenannten Neuen Medien. Diese neuen Kontaktmöglichkeiten führen dazu, dass sich Bewusstseinssprünge schneller verbreiten von Mensch zu Mensch.

Die durch mich geöffneten Portale ermöglichen eine globale Verbreitung der Energie, ohne Hürden oder Hindernisse zu kennen.

Die Verbreitung von Mund zu Mund, von Wort zu Ohr, von Mensch zu Mensch trägt dazu bei, dass die Energien, die bereits jeden von euch berühren, verstanden werden können, dass sie wahrgenommen werden können, dass begonnen werden kann, mit ihnen umzugehen und sie zu nutzen.

Zur Energie der Erkenntnisfähigkeit gehört die Fähigkeit, sich selbst innerhalb eines energetischen, emotionalen oder äußerlichen Gefüges wahrzunehmen und zu begreifen, welche Wirkung deine Umgebung, dein Umfeld, die Menschen, deine Beziehungen durch dich erfahren. Es gehört dazu, wahrzunehmen, welches Licht in die Welt gesendet wird, welche Botschaft du überbringst, auch dann, wenn du keine Worte dafür verwendest, welche Ausstrahlung du jederzeit in dir trägst und welche Veränderungen du in anderen Menschen, Lebewesen oder unbelebter Materie bewirkst.

In einem jeden Menschen ist implementiert, dass er Erfüllung, Entfaltung und Selbstentwicklung anstrebt. Die Reise von Geburt zu Tod bedeutet, eine Reise, die sich anfangs von deiner lichtvollen Seelengestalt entfernt und sich ihr dann sukzessive wieder annähert, um im Tode wieder ohne Körper mit allen Seelenanteilen in deinem eigenen Licht vereint zu sein. Alle Erfahrungen, Erlebnisse und Details deiner Reise, die du von Säugling bis Greis zurücklegst, dienen dem Wachstum und der Bereicherung deiner eigenen Seelenfrequenz sowie aller dir verbundenen Seelen. Egal, ob diese Seelenverbindungen ausschließlich hier auf der Erde hergestellt wurden oder deiner ursprünglichen Seelenfamilie entstammen.

Jedes und alles wird durch deine Erfahrungen und Erlebnisse bereichert. Diese Erlebnisse und Erfahrungen sind in ihrer vollkommenen Vielfalt von unschätzbarem Wert. Mache dir bewusst, dass jede Emotion, jede Wahrnehmung, jede sinnliche oder energetische Empfindung ein Geschenk an deine individuelle Seelenstrahlung ist und gleichermaßen ein Geschenk an die ganze Schöpfung.

Zu keiner Zeit auf dieser Erdenreise ist es ratsam, Wahrnehmungen, Gefühle, Emotionen, Empfindungen, Gedanken, Impulse oder Herzenswünsche, Sehnsüchte und Ziele zu unterdrücken. All jenes ist Ausdruck deiner individuellen Seelenkraft oder Nahrung für deine Seele.

Ich habe, während ich zu euch gesprochen habe, die Energiefelder des Doppelportals Wahrhaftigkeit/Erkenntnisfähigkeit fertigmoduliert. Sie werden, ebenso wie das ZeitPortal, über eine für euch chronologisch wahrgenommene Abfolge von Tagen und Wochen bestehenbleiben und mit eurem Übergang leicht die Form und Wirkung anpassen. Ihr Grundton, ihr Grundtenor, ihre Grundrichtung und ihre Grundwirkung bleiben davon unberührt. Jedoch verändern sich Schattierungen und Schwingungsdetails, sodass zu jedem Zeitpunkt des Übergangs eine optimale Unterstützung für jeden und jedes Einzelne sowie das Große Ganze entsteht.

Ich dehne die beiden Portale jetzt auf die optimale Größe und Ausrichtung aus. Dazu erhöhe ich die Schwingungspräsenz hier im Raum und für alle direkt begleitenden Seelen ebenfalls.

In dieser größeren Ausdehnung werden die Energieströmungen sanfter und weicher. In den nächsten zwei Stunden werden die beiden Energieströmungen des Doppelportals ihre vollständige Größe und Strahlkraft einnehmen. Danach beginnt ihre gerichtete Bewegung oder Schubkraft, die sich an eurer chronologischen Zeitempfindung orientiert und an ihr entlanggleitet bis zur Vervollständigung des Übergangs für die gesamte Erdbevölkerung.

Viele von euch haben sich die Frage gestellt, welche äußerlichen Merkmale als Anhaltspunkte dienen können, um den Vollzug des Wandels zu erkennen. Ich möchte euch dazu sagen, dass ihr den Wandel zuerst in euch selbst spüren und wahrnehmen werdet. Da ihr direkt an der Portal-Öffnung interessiert und beteiligt seid, gehe ich davon aus, dass ihr verschiedene Übergangsempfindungen bereits kennt und auch diese wiedererkennen werdet. Als äußere Hinweise dienen euch Synchronizitäten. Zufälle, die in ihrer Zahl nicht mehr einem Zufall zugeordnet werden können. Zufälle, die aufgrund ihrer Beschaffenheit keine anderen Rückschlüsse zulassen, dass sie ebenfalls eine Synchronizität zu deinen Gedanken und Energien darstellen. Menschen, die in dein Leben treten und dir Informationen bringen, die du innerlich bereits angefordert oder gewünscht hast.

Über diese Wahrnehmungen hinaus werden sich im Laufe der Zeit hinzugesellen: äußere Begebenheiten in der Art von Instant Manifestation, Wünsche oder Ideen, die du völlig frei in dir gedacht, visualisiert oder gewünscht hast und deren Erfüllung innerhalb kurzer Zeit. Dafür lohnt es sich, sich innerlich von den Bildern zu lösen, die dir vorgeben, wie eine solche Manifestation auszusehen hat. Je offener du dich durch deine neue Welt bewegst, desto mehr Geschenke können in dein Sein treten, neben dir auftauchen oder dein Leben bereichern.

Ich übergebe das Wort an Merlin.

Merlin

Ich bin Merlin, Botschafter vom Rat des Dreigestirns. Mich begleiten die Hüterdrachen des höchsten Potenzials eines jeden Menschen auf Erden sowie meine lieben Gefährten Metatron und Uriel. Des Weiteren sind viele Abgesandte der SternenAllianzen zugegen, um nicht nur der heutigen, sondern auch bei allen weiteren Portal-Öffnungen zugegen zu sein, um zu bezeugen und zu unterstützen.

Heute aktivieren wir für Lady Gaia vier weitere Potenzialschlüssel. All diese dienen der Wahrhaftigkeit und dem Erkennen der Wahrheit sowie besonders interplanetarer Zusammenhänge.

Die Veränderung im Bewusstsein von Lady Gaia wird sich auch auf alle Geschöpfe, die auf ihr wandeln oder mit ihr verbinden sind, auswirken. So werdet ihr eine erhöhte Wahrnehmung feststellen, wobei wir bewusst das Wort Wahr-nehmung verwenden. Wenn ihr Aussagen gegenübersteht, die nicht eurer Wahrheit entsprechen oder bei denen ihr bemerkt, dass der Sender der Aussage nicht wahrhaftig ist, nicht aus reinem Herzen handelt, sondern dass das gesprochene Wort nicht mit seiner Schwingung kongruent ist, werdet ihr dies leichter erkennen.

Zeda sprach von der vermehrten Wahrnehmung oder vom vermehrten Aufkommen von Synchronizitäten. Ihr alle habt bereits Synchronizitäten in eurem Leben wahrgenommen, sie erlebt. Ihr wurdet von ihnen überrascht und erlebt sie in der Regel als besonders. Ihr werdet feststellen, dass das Erleben und Erscheinen von Synchronizitäten euer neues Normal sein wird.

Wir möchten dabei noch einmal darauf hinweisen, dass Synchronizität etwas anderes bedeutet als Telepathie. Wenn zwei zur gleichen Zeit daran denken, dass sie gerne ein Eis essen würden, dann hat dies nichts mit Telepathie zu tun, sondern mit einer Übereinschwingung, die dem gleichen Ziel dient. Telepathie ist die bewusste Sendung von Gedankenkonstrukten oder Wahrnehmungen, wobei der Empfänger auf der „anderen" Seite sie zur gleichen Zeit empfängt. Auch diese Eigenschaft wird unter der Menschheit unter diesen Umständen zunehmen, wobei die bewusste Verwendung von telepathischen Fähigkeiten noch überaus selten anzutreffen sein wird. Begünstigt wird Telepathie an besonderen Kraftorten in (und auf) der Erde.

Nun wird mein Freund Uriel noch das Wort an euch richten.

Uriel

Ich bin Uriel. Ich segne euch und euren Weg. Möge er von Wahrhaftigkeit und Klarheit gekennzeichnet sein.

Ihr werdet, so wie viele weitere Menschen mit euch, immer stärker eure eigene Wahrheit leben, ihr werdet euch an ihr ausrichten, weil dies eurem Seelenweg entspricht.

Ich segne euch mit meiner Klarheit, mit Unterscheidungsvermögen, sodass ihr in Zukunft ganz genau unterscheiden könnt, was eurer Wahrheit entspricht. Ihr habt die Klarheit, was eurem Seelenweg entspricht und welche Entscheidungen aus vorhandenen verstandesmäßigen Gedankenkonstrukten oder von eurem Ego gelenkt werden. Die Gewissheit, welches welches ist, wird zunehmen.

So werdet ihr Lady Gaia und ihren Geschöpfen sowie dem gesamten Kosmos in bester reiner Absicht dienen und euren irdischen Weg in Freude, in bestem Glauben, in höchster Zuversicht und mit eurem Herzen der reinen Liebe entsprechend gehen.

Wir werden euch geleiten.

Ich habe gesprochen.

Zeda

Zur vollständigen Integrierbarkeit und Nutzung der bereits aktivierten Portale entsenden wir jetzt eine Energiewelle, die vom Nullmeridian beginnend die gesamte Welt berührt und langsam umkreist. Innerhalb der nächsten 30 Minuten wird die Energiewelle die vollständige Umrundung der Erde und damit die Katalysierung der Portalenergien vollzogen haben. Während dieser Zeit könnt ihr unter Umständen mit verschiedenen Wahrnehmungen, Ahnungen, Vorkommnissen, Besonderheiten oder überraschenden Nachrichten rechnen, da jedes Lebewesen, das sich aktuell auf diesem Planeten inkarniert hat, mit der katalysierenden Wirkung der Energie in Kontakt tritt und einen Handlungsimpuls oder Bewusstseinsschub erlebt.

Durch die Vernetzung von Mutter Erde mit den in ihrem Sonnensystem befindlichen planetoiden Lebewesen oder Wesensmischformen haben alle Änderungen, die ihr hier als inkarnierte Wesen miterlebt, auch eine Auswirkung auf die weiter entfernt gelegenen Orte und Wesenheiten des gesamten Universums.

Da sich diese großen Veränderungen bereits über lange Zeit abgezeichnet haben, gibt es aktuell mehr als gewöhnlich Beobachter in den geistigen Sphären. Die Bewusstseinswandlung, eure Schwingungserhöhung hat unter anderem zur Folge, dass ihr selber leichter und feiner schwingen werdet, euren Körper in eine höhere Grundschwingung versetzt, der alle Atome, aus denen ihr zu bestehen scheint, mit einschließt, der eure Gedanken und Emotionen ebenfalls in eine höhere Schwingung versetzt.

Dieser höhere Schwingungszustand sorgt dafür, dass der Unterschied zwischen euch und den geistigen Welten, zwischen eurer Dimension und den höheren Dimensionen immer geringfügiger ausfällt. Das heißt, ihr könnt mit mehr Wahrnehmungen rechnen, als ihr bisher bereits gewohnt seid.

Wer bereits Kontakt zu den Astralwelten, in die Jenseitswelten oder zu Engeln, Kraftwesen und Kraftorten gehabt hat, wer bereits Aura sehen konnte oder eine besonders feinsinnige Wahrnehmung für Emotionen und energetische Zustände anderer Menschen besitzt, wird diese in der nächsten Zeit deutlich verstärkt wahrnehmen oder völlig neu erleben. Menschen, die bisher nicht gewohnt waren, außerkörperliche Wahrnehmungen überhaupt ihr Eigen zu nennen, brauchen eure Hilfe und Anleitung.

Ich habe gesprochen.

37
Loihelas

„Ich bin beauftragt für das Chakrensystem von Mutter Erde."

Ich bin Loihelas von der lemurianischen Heilergilde. Beauftragter für das lemurianische Chakrensystem. Dies ist jedoch nicht mein einziger Aufgabenbereich. Ich bin ebenso, mit einigen anderen befreundeten Wesenheiten, Begleiter von Mutter Erde und hierbei insbesondere beauftragt für das Chakrensystem von Mutter Erde.

Durch die Aktivierung und Wiedereröffnung des Zeit- und EnergiePortals (2019 – Öffnung für die lemurianische Schöpfungsmatrix), durch welches die lemurianischen Energien in eure heutige Zeit gekommen sind und nun von euch genutzt werden können, wurde auch das Energiesystem von Lady Gaia beeinflusst.

Die lemurianischen Heilenergien sowie das Arbeiten mit der lemurianischen Schöpfungsmatrix und ihren Lichtkristall-Feldern trägt unter anderem zur Energieerhöhung auf und in Mutter Erde bei.

Die lemurianischen Energien verbanden sich mit den Energien und Chakren der Erde. Dadurch wurden diese auf eine andere Art und Weise angeregt, ausgerichtet und stabilisiert. Dieses war ein sehr zu befürwortender Nebeneffekt. Dieser Umstand, besonders der der Chakrenstabilisierung und Neuausrichtung, unterstützt in großem Maße die Bewusstseinsentwicklung von Lady Gaia und hilft dabei, dass die Unrundheiten, die Turbulenzen, wie zum Beispiel seismische Aktivitäten, sich auf ein Minimum beschränken werden. Genauso wie Wetter-Anomalien oder Einflüsse durch extraterrestrische Vorkommnisse (Kometen, Asteoriden).

Mitglieder der lemurianischen Heilergilde sind zurzeit zugegen, um die weitere Ausrichtung der irdischen Chakren während dieser Übergangszeit weiterzubegleiten und die Kollateralschäden auf ein Minimum zu begrenzen. Auch während der Portalöffnungen vom 28.08.2020[9] und 02.09.2020[10] waren wir zugegen und werden auch während der nächsten Portalöffnungen zugegen sein und mit diversen lemurianischen Kristallfeldern diesen Prozess weiterhin unterstützen.

Wir werden ebenfalls weiterhin euren nun folgenden siebenjährigen Aufstiegsprozess energetisch begleiten.

Wir haben gesprochen.

---

[9] Kapitel 32: Zeitportal – Aktivierung 1.

[10] Kapitel 36: Portale Wahrhaftigkeit und Erkenntnisfähigkeit – Aktivierungen 2 und 3.

38
Merlin

„Die sieben Schwertträger arbeiten am wirkungsvollsten gemeinsam."

Ich bin Merlin. Freund aller Menschen. Freund des lemurianischen Volkes. Gesandter vom Rat des Dreigestirns. Hüter der Drachen des Potenzials der gesamten Menschheit.

Auf und in der Erde befinden sich sieben ätherische Lichtkristall-Schwerter sowie deren ursprüngliches Zuhause. Dieser Lichtkristall-Turm wurde mit dem Einverständnis von Lady Gaia in ihr Innerstes hinabgelassen zu einer Zeit, zu der die damaligen Bewohner dieses wundervollen Planeten nicht mehr in der Lage waren, ihrem höchsten Potenzial nachzustreben. Dies diente zum Schutz der heiligen Energien und zum Schutz vor Missbrauch.

Dieses heilige und mächtige Lichtkristall-Feld (der Lichtkristall-Turm) war und ist zu jeder Zeit mit diesen sieben Lichtkristall-Schwertern verbunden. Wie bereits an anderer Stelle erwähnt[11], sind zum jetzigen Zeitpunkt eurer Geschichte alle sieben Lichtkristall-Schwerter ihren Trägern zugeordnet. Sie bilden ein Netzwerk, welches von der Erdoberfläche zum Turm (einem Energiefeld in Mutter Erde) reicht und wieder hinaus. Die Schwerter sind strategisch auf dem gesamten Erdenrund verteilt. Eines ist in Südamerika, eines in Nordamerika, eines in Europa, eines in Afrika,

---

[11] SchöpferGötter-Blog: Merlin und die 7 Schwertträger. Quelle: https://schoepfergoetter.com/2020/03/27/merlin-und-die-7-schwerttraeger-channeling/ .

eines in Neuseeland und ein weiteres in der Steppe Russlands[12].

Die sieben Schwertträger arbeiten am wirkungsvollsten gemeinsam zum Wohle der Menschheit. Ich möchte DIE Schwertträger anregen, dies regelmäßig zu tun: Verbindet euch im Geiste! Ihr werdet euch erkennen. Einer für alle, alle für einen. Meine Hüterdrachen stehen euch jederzeit zur Seite, um die Verteilung und Auswirkung der dadurch entstehenden Energien zu beobachten und zu begleiten.

Ein jeder von euch ist aufgerufen, mir und meinen Schwertträgern zu folgen, sofern es eurem Seelenauftrag entspricht. Unser Auftrag ist es, das jeweilige höchste Potenzial eines jeden Menschen zu aktivieren, der Kontakt mit uns aufnimmt.

Wir erbieten euch unseren Gruß.

Es ist uns eine Ehre, mit euch zu wandeln und zu wirken.

Wir haben gesprochen.

---

[12] Das siebte Schwert ist einem Träger zugeordnet, welcher nicht menschlich inkarniert ist. Es befindet sich im Tal der Aufgestiegenen Meister.

39
MechnAton

„Unsere Gemeinschaft ist androgyn."

Ich bin MechnAton, Herrscher der Amazonen der Sonne. Ich möchte euch beglückwünschen zu der Entwicklung der letzten Wochen. Wir sehen mit großer Genugtuung, dass ihr, Ellen und Sabine, in euren Wesen schon sehr viel der männlichen Weiblichkeit integriert habt. Als ein Repräsentant dieser männlichen Weiblichkeit ist es mir erlaubt, zu euch zu sprechen. Darüber, wie sich diese Entwicklung auch auf anderen Gestirnen und bei anderen Völkern vollzogen hat.

Zunächst einmal möchte ich erwähnen, dass bei unserem eigenen Volk das Leben der männlichen Weiblichkeit als selbstverständlich gilt. Genauso haben wir Mitglieder in unserer Gesellschaft, die die weibliche Männlichkeit leben, unsere Gesellschaft ist androgyn (ohne auf weibliche und männliche Merkmale zu verzichten).

Auch sie finden sich zur Paarungszeit zusammen, die 13 Tage dauert, und während dieser Zeit verschmelzen die Energien zweier Amazonen zu einer. Bevorzugt verbinden sich zwei Beteiligte der gegensätzlichen Pole (weibliche Männlichkeit und männliche Weiblichkeit). Es ist dies jedoch kein Austausch auf körperlicher Ebene, sondern auf energetischer Ebene. Während der 13 Tage entsteht im Innern des gemeinsamen Energiefeldes ein weiteres Energiefeld, wie ein Zellkern in einer Mutterzelle.

Dieser Zellkern wächst im Laufe dieser 13 Tage ungefähr zur halben Größe eines normal großen Energiefeldes einer Sonnenamazone heran. Nach diesen 13 Tagen trennen sich die beiden Energiefelder, bleiben jedoch weiterhin mit ihrem Abkömmling verbunden. Diese Verbindung dauert circa weitere 43 Tage an, bis eine neue Sonnenamazone entstanden ist.

Sonnenamazonen haben nur recht selten den Wunsch zur Paarung. Unsere Leben überdauern viele eurer irdischen Leben. Mein Alter ist (in euren Jahren ausgedrückt) 24.397 eurer Erdenjahre. In dieser Zeit habe ich mich sechsmal gepaart.

Das Kind, das bei der Paarung entsteht, wählt selbst seine Ausrichtung (weibliche Männlichkeit oder männliche Weiblichkeit).

Bei uns gibt es einen leichten Überhang der männlichen Weiblichkeit, circa 60 Prozent.

Die Einteilung in Mehr- und Minderheiten ist für uns jedoch nicht relevant. Dies dient lediglich zu eurer Information.

40
Portale Orientierung, Machtentfaltung und Individualisierung – Aktivierungen 4, 5 und 6

Die Portal-Aktivierungen der Orientierung, Machtentfaltung und Individualisierung fanden am 05.09.2020 statt. Die Aufzeichnung inklusive aller Energien findest du auf unserem 77ThetaTrans™-Youtube-Kanal:
https://youtu.be/h51nayIINnM

Wir haben für heute avisiert bekommen:

Die Orientierung.

Die Machtentfaltung.

Die Individualisierung.

Alle Portale, die wir insgesamt öffnen – es werden 16, von denen eines ein Doppelportal ist, das heißt, es werden insgesamt 17 – alle diese Portale dienen der Zeit des Überganges.

Öffnet euch für die Schwingungserhöhung, die Informationen, die wir heute empfangen dürfen.

Nehmt ein oder zwei tiefe Atemzüge in eurem ganz persönlichen Rhythmus. Verändert nichts. Nehmt euch einfach nur wahr. Die nächsten Atemzüge könnt ihr mithilfe eurer Aufmerksamkeit oder eurer puren Absicht hinunter in euer Wurzel-Chakra lenken. Oder noch darüber hinaus bis in die Fußchakren. Wenn eure Atemenergie mit Mutter Erde in Kontakt kommt, dann verbindet euch mit ihrem Wesenskern, ihrer ganz puren Essenz. Dann könnt ihr innerhalb ganz kurzer Zeit spüren, wie ihre Energien in euren Körper aufsteigen und ihn durchströmen. Ihr folgt mit eurer Aufmerksamkeit diesem aufsteigenden Energiestrom. Gerne bis über euer Kronen-Chakra hinaus. Bis zu dem Wesens-

kern eurer Quelle, je nachdem, wo eure Seele entsprungen ist.

Mit dieser Ausrichtung seid ihr bestens vorbereitet für die neuen Energien, die wir heute für die Menschheit auf die Erde holen.

Zeda

Ich bin Zeda. Ich spreche zu euch aus meiner reinen Existenz als Schöpferdrachin dieses Universums. Ich vollführe mit euch nicht zum ersten Mal einen Wandel dieser Art. Egal, ob auf diesem Planeten oder an anderen Wirkstätten. Einige eurer Seelenpräsenzen kenne ich bereits von anderen Übergängen. Ich danke euch! Für eure Präsenz und eure Unterstützung.

Für den aktuellen Übergang aktivieren wir heute drei einzelne, voneinander unabhängige Portale, die sich in einem dreieckigen Kraftfeld umeinander ordnen. Alle drei Energieströmungen gemeinsam werden Mutter Erde und all ihren Geschöpfen zur Verfügung stehen für die Transformation des Glaubenssystems, der kollektiven Gedankenstrukturen, der gesellschaftlichen Körper- und Gesundheitsempfindung, für die Annahme der eigenen Fähigkeiten, Talente und Potenziale, für die Entfaltung und Entwicklung persönlicher Seelenkräfte, für die Offenbarung der eigenen Persönlichkeit und eurer vollkommenen Ausdruckskraft als Individuum. Für die Verbindung und Harmonisierung der drei Tore und ihrer Energieströmungen wird Merlin im Anschluss Sorge tragen. Bis dahin werdet ihr die Energien eventuell als getrennt oder gegenläufig wahrnehmen. Dies ist nur von kurzer Dauer.

Während ich euch berichte über die Erfahrungen der vergangenen Portal-Aktivierung, werde ich die drei genannten Energieströmungen hier auf eurer Erde manifestieren und im Raum etablieren, sodass für euch innerhalb eures chronologischen Raum-Zeit-Kontinuums ein dauerhaft begleitender Energiestrom für die Übergangszeit zur Verfügung gestellt wird.

In jeder Kultur gibt es Momente des Ungleichgewichtes der an der Entwicklung beteiligten Kräfte. Dies ist ein häufig wiederkehrender natürlicher Vorgang für alle Zivilisationen, planetoiden Entwicklungen und kosmischen Entsprechungen von Entwicklung. Alles, das mit einem Bewusstsein gesegnet ist, durchläuft Phasen der Veränderung und des sprunghaften Wachstums. Diese kommen zustande, wenn sich in einem erhöhtem Maße oder höheren Umfang alte Muster aus dem bisherigen System herauslösen möchten, da ihre Wirkbarkeit abgelaufen ist und neue Energieströmungen, Emotionen, Gedanken und Handlungsmuster in das jeweilige Bewusstsein eindringen und einsinken möchten.

Das gesamte Universum, der gesamte Kosmos unterliegt diesen Entwicklungsschritten. Bei jedem einzelnen bewussten Lebewesen sind die konkreten herauszulösenden Faktoren und die konkreten neu zu implementierenden Faktoren grundverschieden. In eurer aktuellen menschlichen Gesellschaft geht es um den Wandel vom mechanistisch-rational denkenden Menschen zurück in Richtung des göttlichen Bewusstseins, das in jedem von euch beheimatet ist. Alles in euren Körpern, alles in euren Seelen, alles in euren energetischen Daseinsformen, alles in eurem Denken und Fühlen ist heilige göttliche Energie.

Dies jetzt vermehrt in euer kollektives Bewusstsein einsinken zu lassen, ist ein großer Wandel für jeden Einzelnen und für die gesamte inkarnierte Menschheit. Ich darf euch versichern, dass keiner der aktuell Menschgeborenen ein Gegner dieser Entwicklung ist. Zum Vorangehen der Entwicklung sind insbesondere auf eurem Planeten immer sehr gegensätzliche Pole notwendig und daher werden alle Aspekte mit entsprechender Energie aufgeladen.

Dabei geht jeweils eine Seite der anderen voran. In verschiedenen Denkweisen sind mechanistisch, rationallogisch veranlagte Wesen denjenigen, die ihrem inneren weich ausgerichteten Gefühl folgen, einige Schritte voraus. In Fragen der geistigen-seelischen Weiterentwicklung sind diejenigen, die sich den lichten Künsten zugewandt haben, denjenigen voraus, die über ein absolutes naturwissenschaftliches Denkverfahren nicht hinauskommen können. Alle Aspekte, die hier auf dieser Erde inkarniert sind, dienen einander, dienen der Gesamtheitsentwicklung und dienen auch dem Bewusstseinswandel von Lady Gaia. Auch hierzu wird Merlin erklärende Worte für euch finden.

Zur Verknüpfung von Lady Gaia und der Menschheit möchte ich euch folgendes Bild mitgeben: Euer Wesen ist wesentlich kleiner, flexibler, diffiziler gestaltet und weniger ortsgebunden als das von eurer Mutter Erde. Mit dieser Flexibilität, mit eurer großen Erfahrungsbrandbreite, mit eurem Wissen über verschiedene Regionen und Orte speist ihr den Ätherkörper eures Heimatplaneten. Auf diese Weise erfährt Mutter Erde sich selbst und euch auf eine energetisch befruchtende Weise, während sie wiederum in ihrem Ätherkörper alles beherbergt, was eure menschliche Gesellschaft für ihr energetisch-materielles Überleben benötigt.

So dienen alle Feldfrüchte eurer Ernährung aber darüber hinaus auch alle Energie, die Mutter Erde in ihrer Aura für euch bereithält. Ihr wandelt permanent auf ihrer innersten Auraschicht. Ihr werdet permanent von ihr in ihrem Ätherkörper liebevoll beherbergt und umsorgt.

Dies ist eine Komponente eures Zusammenspiels. Darüber hinaus gibt es viele weitere Verbindungs- und Schnittstellen zwischen der Menschheit und der Erde, die ihr bewohnt.

Diese Verbindung ist in beide Richtungen aktiv. Seid euch dessen bewusst, dass ihr zu jeder Zeit, der ihr eurer eigenen Seelenbestimmung folgt, immer auf dem besten Wege seid, das Beste für alles um euch herum, inklusive eurer selbst zu erschaffen. Dabei ist es nicht vonnöten, dass euer Verstand alles erfassen oder einordnen kann, was aktuell geschieht.

Ihr dürft euch davon lösen, Schuld zu tragen, euch für andere Wesen als euch selbst verantwortlich zu fühlen oder euch - mit euren Worten - ein Gewissen zu machen, über die Art und Weise, wie ihr lebt. Es ist euch zu jeder Zeit erlaubt, Fleisch zu essen, motorisierte Vehikel zu fahren, Flugzeuge zu besteigen oder in einer herstellenden Industrie wirksam und tätig zu sein. All diese Dinge sind von geringem Einfluss auf euren Heimatplaneten. Größeren Einfluss hat eure Liebesfähigkeit untereinander und euer kollektives Zusammenhalten als große, sich weiterentwickelnde Gemeinschaft.

Während ich zu euch gesprochen habe, haben sich die genannten Energieströmungen etabliert und mit eurem chronologischen Zeitstrahl verbunden, mit eurer räumlich bewussten Entwicklung gekoppelt und sind nun bereit, ihre vollständige Größe und Ausrichtung einzunehmen. Dazu erhöhe ich die Energie in allen drei genannten Bereichen.

Eure Orientierung wird sich in den nächsten 24 bis 48 Stunden deutlich in Richtung eures persönlichen Beitrages für die Zeit des Überganges und danach ausrichten.

Die Machtentfaltung eines jeden inkarnierten Wesens wird eine Fokussierung erlauben auf diejenigen Kernkompetenzen, die für euch individuell, die Entwicklung des Großen Ganzen und die Bewusstwerdung eures Heimatplaneten in absoluter Harmonie verlaufen.

Eure Individualisierung erlaubt es euch, aus der Menge herauszutreten, eure Führungsposition einzunehmen und dennoch ein Teil der Gemeinschaft zu sein. Ein nährender Teil der Gemeinschaft.

Die Energieströmungen erreichen jetzt ihr volles Ausmaß und werden innerhalb der nächsten zwölf Stunden ihre vollständige Strömungskraft aufnehmen.

Diese verlangsamte Strömungsvollaufnahme dient der Anpassung aller Individuen und Geschöpfe dieses Planeten. Ich habe gesprochen.

Merlin

Ich bin Merlin. Ich bin gekommen als Gesandter und Botschafter der Allianz des Dreigestirns und als Hüter der Drachen des höchsten Potenzials der Erde und ihrer Geschöpfe.

Die heutige Portal-Aktivierung in ihrer Drei-Einheit ist ein erster Kulminationspunkt in der Abfolge der Portal-Aktivierungen. Das Portal der Orientierung wird für Lady Gaia und für einen jeden einzelnen Menschen ganz spürbare Auswirkungen haben. In einer Zeit der Orientierungslosigkeit ist es umso wichtiger, eine Orientierung in sich selbst zu finden. Daher ist die vollständige Aktivierung dieses Portals zu dieser Zeit so wichtig.

Das Portal der Machtentfaltung steht mit dem Portal der Orientierung unterstützend in Verbindung. Sobald ihr mehr und mehr euch an eurer inneren Essenz orientiert, desto mehr entfaltet ihr eure göttliche Kraft, eure Schöpfungsmacht und wachst in eure eigentliche Größe hinein.

Diese eigentliche Größe wird von den meisten von euch verkannt oder nicht anerkannt oder angenommen. Es herrscht immer noch weite Verbreitung von sich kleinhaltendem Denken. Dies ist ein genauer Gegenpol zu eurem höchsten Potenzial, zu dem zu leben ihr hier inkarniert seid.

Das große Tor der Individualisierung ist ebenso mit den beiden anderen Polen unterstützend verbunden. Ein jeder auf Erden wird aus der Einheit geboren und tritt mit seiner Geburt den Weg der Individuation an. Der Ausformung eines eigenen Charakters mit eigenen Merkmalen. Keiner von euch gleicht dem anderen, kein Weg kann einem anderen gleichen. Ihr alle seid – obwohl in der Gemeinschaft verbunden – jetzt hier individuelle Geschöpfe, die ihren individuellen Pfad zur All-Einheit gehen.

So dient diese Aktivierung zum einen, um euch euren ganz individuellen Weg bewusst zu machen. Um beispielsweise eine Führungsposition einzunehmen oder um eine einzelne Stimme in der Masse zu sein, die gehört werden muss, die anders ist als alle anderen Stimmen.

Ein jeder hat diese Stimme erhalten, um ihr Ausdruck zu verleihen.

Ihr seid nicht auf Erden inkarniert, um im Duckmäusertum zu leben, um euer Licht unter den Scheffel zu stellen oder um als ein Tropfen im Ozean mitzuschwimmen. Ihr seid gekommen, um den Ozean zu formen, ihm ein Gesicht zu verleihen und seine Strömung zu beeinflussen.

Hier schließt sich der Kreis zum Tor der Orientierung. Sobld ihr in eurem Innersten wisst, welches euer Weg ist, geht euch die Orientierung nicht mehr verloren. All dies Gesagte gilt gleichermaßen für Lady Gaia – Mutter Erde.

Auch sie geht ihren ganz eigenen individuellen Weg. Sie hat keine Orientierung nach außen. Sie ist auf sich allein gestellt, auf sich selbst zurückgeworfen. Auch ihr Bewusstseinswandel geht von der Orientierung über das Anerkenntnis der eigenen Macht und Größe hin zur Individuation.

Obwohl sie ein Planet im Gefüge eures Sonnensystems ist, geht doch auch sie ihren individuellen Weg.

Die Bewusstseinsveränderung von Lady Gaia ist unter anderem abzulesen an den verschiedensten Messstationen, die auf den unterschiedlichsten Orten eurer Erde angebracht sind. Seien es Veränderungen in ihrem Frequenzton oder seismische Aktivitäten oder Beeinflussungen durch extraplanetare Ereignisse wie Sonnenstürme oder Kometen. All dies trägt zu ihrem Bewusstseinswandel bei und beeinflusst ihn gleichermaßen, wie es auch Auswirkungen davon sind.

Wir sind hier versammelt mit der großen SternenAllianz, um diesen Portal-Öffnungen beizuwohnen, die während einer sehr kritischen Phase eurer Menschheits- und – ich möchte es Aufstiegsgeschichte nennen – stattfinden.

Wir möchten euch versichern, dass ihr alle gekommen seid, um euer höchstes Potenzial zu verwirklichen. Dazu ist es erforderlich, dass ein jeder von euch seine eigene Göttlichkeit erkennt und seinem Seelenweg folgt.

Ihr alle seid auf eurem Weg.

Ihr alle seid genau dort, wo es für einen jeden von euch gut und richtig ist.

Wir möchten euch mitgeben, euch als göttliche Wesen anzuerkennen und euch für das vermeintliche Abweichen von eurem Wege nicht zu verurteilen. All eure Erfahrungen sind wichtig und – in euer Sprache ausgedrückt – richtig. Seid euch selbst gnädig.

Friede sei mit euch.

Wir haben gesprochen.

Zeda

Ich bin Zeda. Ich richte mein Wort an euch. An jedes einzelne eurer wundervollen Lichter. Gemeinsam seid ihr ein Lichtermeer. Jedoch nur, wenn ihr entzündet, was ihr in euch tragt!

Mit einem erloschenen Docht seid ihr ein trockener Nadelwald.

Werdet euch bewusst, dass ein jeder von euch bereicherndes Mitglied eines kosmischen Bewusstseins ist. Jede einzelne Synapse in eurem Denkapparat ist von größter Bedeutung. Jedes einzelne Licht ist für das Strahlen der Erde und des kosmischen Bewusstseins von Bedeutung. Jeder Gedanke, den ihr in euch tragt, kann eine große Veränderung bewirken. Jeder Gedanke, den ihr nicht denkt oder nicht wagt, ihn zu denken, verhindert eventuell eine großartige Entwicklung. Werdet euch der Möglichkeiten bewusst, die in euch wohnen, die ins Licht getragen werden wollen und selbst Licht sind.

Ich habe gesprochen.

Fünfter Teil

Bewegung.

41
Esradnom

„Die luziferische und jesuitische Strömung."

Die wahre Geschichte ist anders als euch überliefert wurde. Die biblischen Texte wurden fehlübersetzt, bewusst verändert, manipuliert und beschönigt. Darüber hinaus ist es eurem aktuellen Menschengeschlecht ohne ein großes Maß von Einfühlung schlichtweg unmöglich, den Wortschatz und die Erlebniswelt der Schriftgelehrten aus Jeshuas Zeit wahrhaft nachzuempfinden und die Worte der Schriften in eine wahrhaft stimmige Version zu transkribieren.

Für eure Neuorientierung möchte ich euch einen kurzen Abriss der wahrhaften Geschehnisse übermitteln.

Am Ende der pharaonischen Dynastien verwässerte das göttliche DNA-Gut nach und nach durch rein menschlich inkarnierte Seelen. Mehrere große pharaonische Blutslinien verliefen im Sande ohne weitere Nachkommen hervorgebracht zu haben. Um viel göttliches Licht und göttliche Eigenschaften in der Welt zu manifestieren, war es von positiver Bedeutung, wenn in den bereits erwähnten Harems Kinder gezeugt wurden und auf diese Weise das menschgewordene göttliche Erbgut sich mit einer Person vervielfältigt hat, welche in der Lage war, körperlich-sinnliche oder seelisch-sinnliche Ekstase zu erleben.

Die Wahrscheinlichkeit, dass daraus positive Weiterentwicklungen und Eigenschaften hervorgehen würden, war sehr groß. Der Einfluss der menschlichen Natur auf die pharaonischen Herrscher, begann unter Ramses II. an Einfluss zu gewinnen. Ab diesem Zeitpunkt wurde weniger göttliche Energie auf der Erde inkarniert.

Auf dem Höhepunkt der ägyptischen Kultur begann diese ihren persönlichen Untergang. In der Nachfolge waren die Menschen auf immer mehr irdisches Denken reduziert, verloren die konkrete berührbare Konfrontation mit göttlicher Energie und versanken in einer Art Mutlosigkeit oder Erstarrung, da sie spürten, dass ihre Vorbilder sie verlassen hatten.

Dies war ein sehr konkretes Erlebnis der Trennung für einen Großteil der damaligen Weltbevölkerung. Der Trennungsschmerz in jedem Einzelnen resonierte mit dem Verlust der Vorbildwirkung wahrhaftiger pharaonischer Herrschaft.

Es ergaben sich Durchmischungen und Besiedlungen verschiedener Volksgruppen an der Kontinentschwelle. (Anmerkung: Am Suezkanal begann die Durchmischung über den Landweg. Die Pharaonen hatten vorher darüber gewacht, dass das Blut rein bleibt, den neuen Herrschern war aber nur „viel Volk" wichtig und so wurde es akzeptiert, dass sich die Blutslinie der göttlichen Pharaonen mit denen der Menschen mischte. Diese Reinheit des Blutes war nicht aus Abneigung gegen andere Völker erstrebenswert, sondern aus Gründen der heiligen Energien. Bliebe die Blutslinie länger „rein", gäbe es länger göttliche Energie auf Erden. Berührbar, spürbar, erlebbar für jeden Menschen.)

Das Bevölkerungswachstum und die Durchmischung mit anderen Herkunftsgebieten und anders Geborenen oder Seelen aus anderen Lichtquellen bewirkte das stärkere Hervortreten der bereits vorhandenen Glaubenskonflikte. In einer Zeit, als die Menschheit nahezu vollkommen orientierungslos geworden war, ist Jesus' Licht in einem menschlichen Körper inkarniert.

Er war der erste Gottgeborene seit dem Dahinscheiden von Ramses I. (Ramses II. war auch keine göttliche Seele mehr, sondern hatte nur von seinem Vater göttliches Blut.)

Seine lichtvolle Erscheinung und Wirkung berührte die Menschen seiner Umgebung. Sie erkannten wahrhaft göttliches Licht in seinem Wirken und (durch die Resonanz) in sich selbst. Die durch Jeshua erzeugte Liebes- und Licht-schwingung ging in Resonanz mit dem verbliebenen Liebeslicht in jedem seiner Jünger und in jedem Menschen, mit dem er in Kontakt trat.

Er war seiner Zeit weit voraus und erkannte, dass viel Dunkelheit und negatives Denken die Menschheit dazu gebracht hatte, in ihrer spirituellen Entwicklung zu stagnieren. Durch sein lebendiges Erscheinen stellte er das Gleichgewicht wieder her und bewirkte eine Anregung der aktuellen Zeitgeschehnisse weit über seinen Tod hinaus.

Das luziferische Prinzip besagt, allem in dir Ausdruck zu verleihen, das dem Lichte entgegen wirkt (Anmerkung: gegen das Licht wirkt). Auf diese Weise folgt der Mensch dem Beispiel des gefallenen Engels. Durch die Abwendung vom Licht wird dem Menschen deutlich, was er vermisst. Einmal von der Helligkeit abgewandt, vergessen oder erkennen viele ihre eigene Herkunftsquelle nicht mehr. Sie betrachten sich im reflektionsfreien Dunkel selbst als dunkel, ohnmächtig und dem „Bösen" zugewandt.

Bei einer höherperspektivischen Betrachtung ergibt sich ein völlig anderes Bild: Der Engel wurde zur Erde gesandt, um den Menschen in ihrem Leide beizustehen. Er ist ebenso wie Jeshua aus reinem Licht gewebt. Er besaß keine körperliche Instanz und war als Energiewesen zwischen den Menschen unterwegs. Dabei schwang sein Trennungsschmerz in seiner ursprünglich heiligen Existenz und brachte die Menschen seiner Umgebung in Resonanz damit. Diejenigen, die ihm folgten, verstärkten seinen Sehnsuchtsschmerz durch ihre eigene Sehnsucht.

Es entstanden zwei verschiedene Strömungen. Die luziferische des eigenen inneren Schmerzes und die jesuitische, die dem eigenen inneren göttlichen Licht folgte. Beide Strömungen sind Erscheinungen der gleichen Quelle. Zum aktuellen Zeitpunkt finden sich luziferische und jesuitische Energien im gemeinsamen Zeitstrudel des Übergangs wieder. Im Laufe der Zeit haben beide Strömungen eine sehr eigene Färbung angenommen. In ihrem Bestreben, die Heimat wiederzufinden, sind sie sich jedoch identisch.

Hervorgerufen durch die Dualität, in der euer polarer Existenzstrom inkarniert ist, sind in jedem von euch beide Strömungen spürbar und erzeugen Resonanzen. Für ein aktuelles Ausgleichen der beiden Gewichtungen war es hilfreich und erforderlich, dass sich Extreme stärker zeigten, polarisierende Persönlichkeiten inkarnierten und viele Lichtkrieger auf euren Planeten entsandt wurden, um die Ausbalancierung der Gesamtharmonie von Mutter Erde mit ihren Geschöpfen herbeizuführen.

In dem vor euch liegenden Aufstiegsprozess heben sich alle Energien ihrer ursprünglichen Quelle stärker und schneller entgegen. Alles Luziferische will ebenso nach Hause wie alles Jesuitische. So will auch jede einzelne inkarnierte Seele nach ihrem Erkenntnis- und Erfahrensweg der dreidimensionalen Welt zurück in den Schoß der Quelle.

Das luziferische Wesen will ebenfalls in seine ursprüngliche LichtHeimat zurückkehren. Dieses Bestreben liegt allen Geschöpfen zugrunde. Es ist ihnen immanent.

So braucht jeder einzelne Mensch, jedes Tier, jede Gottheit, jedes Naturwesen, jede Pflanze und jede Erdformation die hilfreichen Energien der Lichtkrieger der Neuen Zeit.

Wir haben gesprochen.

42 Soluthada

„Werde dir der männlichen und weiblichen Gleichstellungsaspekte bewusst.“

Ich bin Soluthada, Gesandte des Mars. Repräsentantin der weiblichen Männlichkeit.

Geliebte Kinder des Lichts. Ich grüße euch. Mein Volk ist hocherfreut über die neuesten Entwicklungen auf Mutter Erde und die Entwicklungen der Menschheit. Die Bewusstwerdung der männlichen und weiblichen Gleichstellungsaspekte geht in eine neue Phase. In eurer Dimension der Polarität erscheint es für euch noch höchst wichtig und entscheidend, ob ihr männlich oder weiblich beziehungsweise männlich oder weiblich geprägt seid. Wir können euch versichern, dass eine solche Prägung lediglich das Ergebnis eurer Gesellschaftsform ist.

Die „typisch männlichen" Attribute, wie zum Beispiel Stärke, Kraft, Macht, Wettbewerbsdenken, und die „typisch weiblichen" Merkmale, wie Sanftheit, Biegsamkeit, Bescheidenheit und Fürsorge, sind im Grunde nichts anderes als zugeschriebene Attribute (die an der Persönlichkeit des Wesens vorbeiführen können). Alle diese Merkmale und viele weitere sind Merkmale der Menschlichkeit. Sie sind neutral. Weder männlich noch weiblich.

Daher habe ich mich auch als Vertreterin der weiblichen Männlichkeit bei euch vorgestellt, da ich zwar eine weibliche Ausprägung besitze, mich jedoch nicht über diese definiere und auch mein Volk mich nicht über diese definiert.

In unserer Gemeinschaft herrschen gleichwohl bei dem einen männliche und bei dem anderen weibliche Eigenschaften vor. Diese sind jedoch Ausprägung seiner Persönlichkeit, sie sind nicht gesellschaftlich geprägt. Dies erleichtert uns ein urteilsfreies Miteinander.

Wir sehen, dass ihr von einem solchen urteilsfreien Beisammensein noch recht weit entfernt seid. Gleichwohl sehen wir viele Zellen (Gemeinschaften), in denen dieses Bewusstsein der Gleichwertigkeit schon vorherrscht. Diese Zellen vermehren sich durch Teilung dieses Gedankengutes und durch das direkte Vorleben. So wächst die Idee der urteilsfreien Gleichwertigkeit exponentiell auf eurem Planeten.

In nicht allzu ferner Zukunft wird diese Idee schon eine große Ausbreitung erfahren haben, wobei es immer noch viele Flecken geben wird, auf denen es unüberwindbare Barrieren zu geben scheint, um diesem Gedankengut Ausdruck verleihen zu können[13].

Es gilt auch, die Entwicklungen der sogenannten dunklen Zellen nicht zu bewerten und zu verurteilen. Ein jedes Land, eine jede Gesellschaft, ein jeder Mensch wählt seine Erfahrung und seinen Weg. Sei es ein Weg des Leidens oder ein Weg der Freude. Beide sind gleichstehend nebeneinander.

Im Grunde genommen gibt es auch die Einteilung in hell und dunkel nicht, da sich beide Energien gegenseitig im Nullpunkt aufheben. Dieser Nullpunkt ist absolute Neutralität.

Ich möchte euch einladen, diesen absoluten Nullpunkt der Neutralität zu erfahren.

Schließt dazu für einen Moment die Augen und nehmt euren Körper wahr.

Ohne zu bewerten, was ihr wahrnehmt.

---

[13] Uns wird eine solche Zelle gezeigt, wo es momentan scheinbar nicht weitergeht. Diese liegt in Afrika.

Ob er sich schwer oder leicht anfühlt, freudig, traurig, gestresst oder entspannt.

Nehmt eure Aufmerksamkeit aus eurem Körper heraus und blickt mit Neutralität, mit Gleichmut auf euch selbst.

Nehmt alles wahr.

Das Streben.

Die Anstrengung.

Die Gedankengebilde.

Die Gefühle.

Die Körperempfindungen.

Betrachtet alles mit größtmöglicher Neutralität.

Verurteilt euch nicht dafür, dass euch die ein oder andere Bewertung entgleitet.

Ihr werdet bemerken, wenn ihr diese Übung häufiger vollführt, werdet ihr euch und euren Handlungen, Empfindungen, Gefühlen immer neutraler gegenüberstehen.

Dies ist eine wunderbare Übung, nicht nur für die eigene vollumfängliche Selbstannahme, sondern auch für die vollumfängliche Annahme derer, die euch umgeben oder die ihr betrachtet.

Teilt eure Erfahrungen, die ihr bei dieser Übung macht, gern mit anderen Menschen, da sich so die Zellen der Gleichwertigkeit, des Gleichmutes, der Neutralität vermehren werden.

Ich habe gesprochen.

43
Esradnom

„Ihr erschafft in jedem Moment Realität."

Ich möchte nun mit euch weiter eintauchen in die Nutzung der pharaonischen beziehungsweise eurer göttlichen Energieströmungen. Dies ist umso wichtiger, da ihr, Ellen und Sabine, dauerhaft mit diesen Energien in bewussten Kontakt treten werdet.

Bis zu diesem Zeitpunkt werde ich euch das Wesentliche mitgeteilt haben. Das Wesentliche sind diejenigen Informationen, die in Übereinkunft mit euren Seelen für das Tagesbewusstsein benötigt werden, um darüber hinausgehende Erfahrungen selbst sammeln oder machen zu können.

Zu den wichtigsten Botschaften, die ich euch, Sabine und Ellen, in diesem Sinne zu übermitteln gedenke, gehört es, dass der stetige Strom göttlicher Energien in eurer irdischen Präsenz in euch eine andere Qualität besitzt als die Quellpräsenz der irdisch Geborenen. (Anmerkung: Nach Ramses IV. gab es nur noch die Göttlichkeit aus der DNA, nicht mehr aus dem Seelenbereich.)

Dies zu verstehen und anzunehmen bedeutet, aus unbewusster Ahnung oder unbewusster Kompetenz herauszutreten in eine natürlich fließende Bewusstheit eurer Wirkung auf Erden.

Ihr erschafft in jedem Moment Realität. Ihr kreiert mit jedem Atemzug zahllose Möglichkeiten der Realitätsentwicklung. Ihr erschafft Realität. Indem ihr euch und dieser Realität erlaubt, euren Geschmack, euren Klang, eure Farbe, euer Sehnen und Wünschen und all eure innewohnenden Fragen und Sehnsüchte widerzuspiegeln. Damit gebt ihr der Realität dasjenige Aussehen und diejenige Präsenz, die euch am meisten entspricht und erfüllt.

Um den Unterschied zu verdeutlichen, wie Schöpfung und Kreation als menschlich geborene Seele erfolgen, gebe ich euch zu wissen: Eine menschlich geborene Seele ist der Widerhall oder das Echo des Göttlichen. Je verschwommener diese Reflektion des Göttlichen im Menschen ist, desto unschärfer wird die erschaffene Realität. Unschärfen entstehen durch Ängste, Befürchtungen, kollektive Glaubensstrukturen, das Gefühl der Trennung vom Göttlichen und viele atmosphärische oder Feldbarrieren, die durch Konstruktionen der irdischen Naturwissenschaftsgläubigkeit erschaffen wurden.

Mit jeder Inkarnation löst sich der inkarnierte Mensch aus einer oder mehrerer dieser Schichten und erlebt im Laufe seiner Inkarnationsentwicklung eine immer stärkere Rückanbindung an seine lichtvolle Quelle.

Dem pharaonisch oder göttlich Beseelten stehen keinerlei Schleier oder Vorhänge im Wege. Er ist reines unverfälschtes gesamtheitliches Licht auf Erden. Die Schöpfung folgt seiner Natur. Die Neutralität des All-Einen ist ihm immanent. Er reproduziert neutrale Sichtweisen, neutrale Entwicklungsprodukte (Anmerkung: Sie sehen aus wie Erfindungen). Er erlaubt der Menschlichkeit ihre Spielweisen und alle gewünschten Ausdrucksformen.

Das auf die Gemeinheit wirkende Regulativ des Pharaos besteht in einer sanften Wiedereingliederung der sich selbst verlierenden Individuen seines Wirkungsbereiches. Durch seine Präsenz und sein Vorleben gibt er neue Ideen für Vorgehensweisen und Möglichkeiten des Erlebens des Individuums. Es entsteht Führung durch Beispielhaftigkeit.

All diese Errungenschaften der direkten göttlichen Präsenz auf dem Erdenrund dienen der Weiterentwicklung des Gesamtbewusstseins. Je mehr Individuen diese Führung genießen oder erleben, desto stärker der Aufstiegsimpuls für das gesamte menschliche Kollektiv, die Lebewesen der irdischen Schöpfung und Lady Gaia daselbst.

Für euer weiteres Wirken bedeutet diese Bewusstheit eurer göttlichen Immanenz einen Entwicklungsschub für die Installation der Neuen Erde, des Neuen Menschen und des Neuen Denkens.

Damit sind eure innere Ausrichtung, die Rebellion gegen alles Einschränkende, die liebevolle Betrachtung von Extremen und eure innere Unzufriedenheit mit bedrängenden Umständen hinreichend erklärt. Ihr habt durch alle Schleier hinweg eure wahre Präsenz immer gespürt, euren wahren Auftrag ersehnt und gesucht und auf die Erfüllung eures Seelenplanes hingewirkt.

Die Vereinigung eurer inneren Bestrebungen und der realen Äußerung eurer Präsenz stehen nun unmittelbar bevor. Bis zum tatsächlichen Übergang werden wir weitere energetische Schleier und Schattierungen aus eurem Wahrnehmungsbereich herauslösen. Dies entspricht der Seelenverabredung, die ihr für eure aktuelle Inkarnation getroffen habt. Alles weitere Wissen übermittle ich euch im Laufe der Zeit.

Sabine und Ellen, für euer weiteres Wirken am Buchprojekt empfehlen wir euch, den inneren Fokus weiter auf die Eigenschaften des Neuen Menschen zu legen und die Prophezeiungen der nun folgenden Wesenheiten mit aufzunehmen.

44
Gesaja

„Die sich am stärksten abzeichnende Zukunft."

(Anwesend sind Piantas, Esradnom, Kiantas, Zefira, Serafina, Olmantes, Nikolantas, Elaila, Situje, Messias, Maria, Lord Arcturus, Djwal Khul, El Morya, Jeshua. Sprechen wird Gesaja.)

Unsere übereinstimmende Meinung ist es, dass in der Zeit von 2020 bis 2027 ein Entwicklungssprung in der Entwicklung der Menschheitsgeschichte vollzogen wird. Unter Einbeziehung aller aktuellen Energieströmungen des Überganges und aller Realitätswahrscheinlichkeiten ist die sich am stärksten abzeichnende Zukunft folgende:

Während des Überganges kommt es parallel auf allen Erdteilen und Kontinenten zu Revolten und zum Aufbegehren der breiten Masse des einfachen Volkes. Alle diese Aufbegehren haben zum Ziel, eine neue gesellschaftliche Norm und Ordnung herzustellen, die den Menschen als sinnlich erfahrendes, lebendig fließendes Wesen achtet und der seelisch-spirituellen Entwicklung mehr Raum gibt.

Das Bestreben vieler Einzelindividuen subsumiert sich in einer breiten Massenbewegung, die die mechanistische Tyrannei des rationell-mechanistischen Führungsstils der letzten Jahrhunderte beenden möchte. Dabei werden Erfindungen, Errungenschaften, Entdeckungen im Sinne der lebendig- harmonischen Entwicklungsförderung des Individuums eingeleitet.

Das weitverbreitete Streben nach Profit, Geltung im Außen, Macht über andere auszuüben wird aufgelöst in Richtung von Eigenmacht, Eigenverantwortung, Selbstanalyse und Selbstanleitung zur Meisterschaft.

Dabei werden Arbeitsprozesse neu aufgeteilt, Präferenzen und Zielstellungen des Kollektivs neu ausgerichtet und eine persönliche Achtung und Wertempfindung löst das bisherige Denken ab, materieller Wert würde von außen das Licht des Einzelnen zum Erstrahlen bringen.

Die neuen Strukturen im menschlichen Gewahrsein seines eigenen immanenten Wertes verändern die Strukturen ganzer Industriezweige, Handelsketten, gewerkschaftlich-politischer Organisationen, Hilfseinrichtungen und des Güterverkehrs. Vorreiter dieser strukturellen Neuordnung wird das sogenannte Gesundheitswesen sein, dessen scheinbarer Zusammenbruch zu einer der stärksten Neuordnungen führen wird.

Es ist absehbar, dass der persönliche Bewegungsradius des Neuen Menschen nicht nur anders organisiert wird, sondern auch anderen Zwecken dient. Bildung erfolgt durch Erleben, Erfahren, direkte Kommunikation, Austausch und Reisetätigkeiten, die allesamt dazu beitragen, Neues mit einer sinnlichen Erfahrung zu verbinden. Dabei werden auch immer mehr Schülergemeinschaften in einem reisenden Unterrichtsmodus etabliert werden. Das Bildungssystem profitiert von vielen jungen unverformten Führungskräften, die Neues Wissen und Neues Lernen etablieren und altes hierarchisches, fest strukturiertes Lehren, Denken und Handeln ablösen.

In die Gesellschaft der Menschheit hinein wird Wissen offenbart, das lange zurückgehalten wurde. Das Nachweise enthält oder erbringt, die den Zusammenhang von mystischer Natur, lebendiger Verknüpfung von Körper, Geist und Seele, der Macht des Bewusstseins, der Erde als eigenständiges Lebewesen und des Kosmos als großes Bewusstheitsobjekt offenbar werden lassen.

Geschichtliche Fakten werden revidiert und korrigiert im Sinne einer Neuen Ehrlichkeit und Transparenz. Dadurch werden diejenigen entmachtet, die versuchten, sich der gesellschaftlichen Norm durch Alleingang zu entziehen.

Alle aufgeführten Einzelentwicklungen dienen einer verstärkt hervortretenden Gemeinschaft als Selbstverständnis der Herkunft aus einer gemeinsamen Quelle. All dies wird bis zum Ende der siebenjährigen Veränderungsphase gänzlich oder in großen Teilen geschehen sein. Die daraus resultierenden weiteren Entwicklungssprünge basieren auf einem bis dahin immer stärker erwachenden Gemeinsinn oder Gemeinschaftsgefühl.

Wir haben gesprochen.

45
TutEnchAmun

„Ich WÄHLE in jedem Moment meine Schöpfung."

Ich bin TutEnchAmun. Esradnom hat mich gebeten, Schöpfung aus meiner Perspektive zu beleuchten.

Es ist wahr: als Gottheit auf Erden repräsentiert oder wirkt durch mich reine Göttlichkeit ohne jede Verschleierung. Reine Göttlichkeit oder das reine göttliche Licht. Göttliche Energieform ist das, was sich verdichtet und welches ich zum Ausdruck bringe. Diese göttliche Ausdruckskraft ist trotzdem geFORMt, durch meinen Seelenstrahl.

Die Unterteilung (keine TEILung) in Seelenstrahlen dient der Erfahrbarkeit von einer gewissen Art an Individualität. Würde sich unsere Göttlichkeit nicht durch verschiedene Seelenstrahlen ausdrücken, würden alle Seelenstrahlen auf der Erde das GLEICHE, das ALL-EINE erfahren. Dies ist vom göttlichen Bewusstsein nicht erwünscht.

Als Gottheit auf Erden ist es mir zu jeder Zeit bewusst, dass ich reines göttliches Bewusstsein bin und die Realität nach meinem Gusto erschaffe. Wenn meine göttliche Ausdrucksform in reiner Übereinschwingung mit meinem Seelenstrahl ist, auf dem ich inkarnierte, so entsteht höchste göttliche Schöpfung – beziehungsweise Realität in Übereinschwingung mit derselben.

Ich WÄHLE in jedem Moment meine Schöpfung, die sich im gleichen Augenblick realisiert.

Der Unterschied zu den Menschgeborenen ist der, dass sie nicht das gleiche Maß an göttlichem Bewusstsein in sich tragen, da es durch ihre Vermenschlichung getrübt wird.

Im Grunde genommen könnten auch die Menschen Götter sein. Dadurch, dass sie jedoch diese vertiefte Erfahrung in menschlicher Gestalt gewählt haben, ist es nicht in Einklang mit ihrem Seelenplan, ihrer vollumfänglichen Göttlichkeit auf Erden Ausdruck zu verleihen. Dies würde nicht in Resonanz gehen mit dem Spiel oder der göttlichen Intention (Vorsehung).

Das Realisieren, welches sich für euch manifestieren wird, ist ebenfalls geprägt durch eure Mensch-Werdung. Jedoch werden nun alle Schleier so weit gehoben, dass ihr sofort erkennt, wenn ihr beim Schöpfen in eine menschliche Falle tappt. Dadurch (Anmerkung: durch die Bewusstwerdung) verliert diese Falle des menschlichen Denkens sofort ihre Kraft und wird dadurch nicht existent.

Für euren weiteren Weg als Göttinnen, als Schöpfer-Gottheiten ist es durchaus notwendig, das eine oder andere Mal in solch eine Falle zu tappen. Dies wird jedoch infinitesimal häufig geschehen (0,1 Prozent von bisher 100 Fällen).

Dadurch, dass Erfüllung zu erleben im Einklang mit eurer Göttlichkeit steht, werdet ihr darauf fokussiert sein, wie es ist, Erfüllung zu leben, zu erleben, erfüllt zu sein. Alles, was zu diesem Zustand dazu gehört, was ihn ausmacht, werdet ihr mit Leichtigkeit realisieren. Dies ist im Einklang mit eurer Göttlichkeit und liegt ebenso im Einklang mit eurem Seelenstrahl.

Jedoch kann sich diese Erfüllung bei euch unterschiedlich äußern, ganz wie es eurem Seelenstrahl gemäß ist. Der eine empfindet zum Beispiel Erfüllung beim Baden in der Natur und der andere beim Liegen auf einer Yacht.

Ich hoffe, euch mit diesen Ausführungen gedient zu haben und wünsche euch frohes Gelingen sowie weiterhin viel Freude bei eurem geistigen Austausch.

Ich ziehe mich nun zurück.

46
Sophia

„Mütterliche Qualitäten sind in beiderlei Geschlecht zu finden."

Ich bin Sophia. Mutter der Mütter. Mutter der Weisheit. Mutter eurer Einzigartigkeit. Ich bin gekommen, euch frohe Kunde zu geben von den Entwicklungen in der Welt.

Mein Geist ist schon lange auf diesem Planeten zugegen. Alle großen Mutterfiguren dieser eurer bekannten Epochen wurden durch meine Energie gespeist. Mutter zu sein, ist eine göttliche Gnade. Sie wird demjenigen zuteil, der standhaft genug für sie ist.

In allen Kulturen wurde der Verehrung der Mutter besondere Aufmerksamkeit zuteil, da ihre Qualitäten von männlichen sowie weiblichen Personen gleichermaßen geschätzt wurden. So wurde in vielen Kulturen Die Große Mutter verehrt, die mit ihrer Fruchtbarkeit für das Wohlergehen der ihr Anvertrauten sorgte. Die ersten matriarchalischen Gesellschaften folgten dieser Kultur.

Durch die Verdrängung der Mütter aus den öffentlichen Räumen wurde gleichermaßen auch der Geist der Fürsorge verdrängt und mit ihm die Bedürfnisse der nächsten Generation und ihre Besonderheiten und Fähigkeiten. Der Geist der Fürsorge ist für das Wohlergehen einer Gesellschaft jedoch fundamental. Daher wird mit dem Anbruch der Neuen Zeit und dem Ausgleichen der männlichen und weiblichen Kräfte auch der Geist der Fürsorge wieder in eure Gesellschaften zurückkehren.

Die Zeit des Ellenbogenrempelns, der strengen Egozentrik, des Wettbewerbs um des Wettbewerbs willen ist vorüber. Diejenigen Menschen, die an erster Stelle stehen wollen, um über andere zu herrschen, sich an ihnen zu bereichern oder um sie zu unterdrücken, werden immer weniger Möglichkeit dazu finden. Durch die Wiedererstarkung des fürsorglichen Geistes wird es in den Gesellschaften für diese Art der Herrschsucht und des Wettbewerbs immer weniger Resonanz geben.

Die mütterlichen Qualitäten werden auch in den Männern immer präsenter werden und sich weiter entfalten. Dies wird sich besonders auch in euren politischen und wirtschaftlichen Organisationen niederschlagen. Es wird nicht mehr der Profit oder der Shareholder-Value an erster Stelle stehen, sondern das Wohlergehen der schutzbefohlenen Gemeinschaft (Mitarbeiter). Allein diese Entwicklung wird einen großen Wandel in eurer Gesellschaft bewirken.

Ich bin gekommen, um den Geist der Mütterlichkeit wieder in euch und in eure Herzen hineinfließen zu lassen, damit ihr ihm auf eure eigene Art und Weise Ausdruck verleihen könnt.

Ich bitte euch in diesem Moment, die Augen zu schließen und euer Herz für meinen Geist zu öffnen.

Atmet. Tief in euer Herz hinein.

Empfangt von mir den Geist der Mütterlichkeit und erlebt, wie er sich in eurem Körper verbreitet und bis in euren Schoßraum hinabgleitet.

So entsteht zwischen eurem Schoßraum, der das Neue gebiert, und eurem Herzen ein rotierender Energiestrom.

Diesen Energiestrom könnt ihr nach eurem eigenen Belieben weit hinaus ausdehnen – über euren Körper hinaus, um ihn zum Beispiel auf eure Familie, eure Freunde, eure Kollegen oder andere Menschen auszudehnen, in sie einzufließen und sie zu umhüllen mit dem Geist eurer Mütterlichkeit.

Da zurzeit zwischen den Menschen ein Mangel herrscht an diesem Geist der Fürsorge, könnt ihr erwarten, dass euer Geist der Fürsorge gern empfangen werden wird. Der Geist der Mütterlichkeit und Fürsorge beinhaltet jedoch nicht, jemanden im üblichen Sinne zu bemuttern und ihm den Weg zu weisen oder Entscheidungen vorzuschreiben oder schmackhaft zu machen. Der Geist der Mütterlichkeit und Fürsorge ist völlig frei davon. Er ist ein Strom bedingungsloser Liebe, urmütterlicher Liebe und mütterlicher Zuversicht, dass das eigene Kind seinen eigenen Weg gehen wird.

Wir danken euch, wenn ihr euch in Zukunft öfter mit diesem Energiestrom verbindet und ihn bewusst in eurem Alltag nutzt.

Ich danke euch.

Ich habe gesprochen.

47
Das Göttliche Selbst

„Jedes Bewusstsein ist Teil einer größeren Gesamtheit."

Ich bin das Göttliche (da)selbst.

Ich bin göttliches Bewusstsein.

Ein Teil von mir ist in einem jeden von euch.

Ich bin die Verbindung von euch zur All-Einen-Quelle.

Ich bin Das Göttliche Selbst, aus dem ALL eure individuellen göttlichen Selbste bestehen. Die Gesamtheit der menschlich-göttlichen Selbste vereint sich in mir. Ich bin wie eine göttliche Bewusstseinswolke, aus der Tropfen des Bewusstseins auf jeden einzelnen Menschen von Zeit zu Zeit herabregnen. Ich schaffe euch und ich werde durch euch erschaffen.

Wenn ihr eine Bewusstseinsreise unternehmt, um eurem göttlichen Kern näherzukommen oder euer göttliches Selbst zu schauen, erlebt ihr euch als ein Teil von mir. Als ein Teil der göttlichen Unendlichkeit. Tatsächlich sind Möglichkeiten nur begrenzt durch die göttlichen Selbste eines jeden Einzelnen.

Die Vorstellung von Unendlichkeit und unendlichen Möglichkeiten ist daher irreführend. Jedoch könnt ihr so etwas wie Unendlichkeit in meinem Bewusstsein wahrnehmen, welches daran liegt, dass euer eigenes Bewusstsein in gewisser Weise sehr beschränkt ist und das Aufgehen in meinem Bewusstsein euch wie Unendlichkeit erscheint. Dies liegt an eurem Bewusstseinslevel, an dem Niveau, auf dem ihr euch befindet. Je mehr ihr euch zu denken erlaubt, desto mehr erlaubt ihr mir, zu SEIN.

Ich als das göttliche Selbst oder, konkreter, als euer aller göttliches Selbst bin Teil einer viel größeren Gesamtheit. So gibt es neben mir viele weitere göttliche Selbste für weitere Bevölkerungsgruppen und Teile des Universums. Es gibt weitaus größere Entitäten als die meine. Wie beispielsweise das universelle und das kosmische Bewusstsein, welche eine Vielzahl von göttlichen Selbsten umfassen.

Der Ausdruck wie im Kleinen so im Großen gilt auch für mich als Bewusstsein. Ihr könnt euch mich als einen Bewusstseinsstrom vorstellen, der euch durchdringt. So wie ich es gerade jetzt tue.

Ich verstärke meinen göttlichen Strom in euch.

Dies regt eure Energieschichten bis hin zu eurem physischen Körper an, wodurch auch jedes einzelne Bewusstsein in euren Zellen angeregt wird. So geht es vom gröbsten bis ins feinste Detail.

So könntet ihr auch euren Körper als ein Bewusstsein wahrnehmen, das aus vielen einzelnen Bewusstseinen besteht, aus dem Bewusstsein eurer Organe, aus dem Bewusstsein eines jeden einzelnen Organs, aus dem Bewusstsein einer jeden einzelnen Blutzelle und eines jeden einzelnen Blutkörperchens sowie aus den Bewusstheiten, der ihm innewohnenden Zellen bis hin zu den Zellkernen, Elektronen, Protonen, Molekülen, Atomen, dem Quantenraum ...

Ich erkläre euch dies, um euch bewusst zu machen, dass ihr in jedem Moment als Mensch eine großartige Integrationsarbeit vollbringt. Ihr handelt wie EIN Körper. All eure Bewusstseinswesen arbeiten in Interaktion miteinander, um euch in eurer Weiterentwicklung zu unterstützen. Es ist dies minutiös abgestimmt, um euren gesamten Körper vorwärtszubringen, am Leben zu erhalten und zu neuen Erkenntnissen zu führen.

Das Gleiche geschieht in der Gemeinschaft von euch Menschen. Ein jeder Mensch als eigene Bewusstheit arbeitet mit den ihn umgebenden anderen Bewusstheiten zusammen. Gemeinsam bringt ihr einen gemeinsamen menschlichen Bewusstseinskörper hervor, der verschiedenste Zielstrebungen ausbalanciert und sich mal zu der einen und dann zu der anderen Richtung mehrheitlich hinbewegt.

Ihr könnt mit der Fokussierung auf euer göttliches Selbst, auf euer Bewusstsein als menschliche Schöpfereinheiten auf ein bestimmtes Ziel hinwirken. Wenn sich mehrere Bewusstseinsströme einem Ziel zuwenden, wächst die Wirkung eines solchen Bewusstseinsstroms exponentiell an. Dies erklärt unter anderem die messbaren Auswirkungen von groß angelegten Meditationen. Genauso wie die messbaren Ergebnisse von großen Angstverbreitungsmechanismen. (Anmerkung: WIR sind die Anführer unserer einzelnen KörperBewusstSeine. Ich kann sie in LIEBE führen oder mit Zwang eine Richtung vorgeben.)

Daher möchte ich euch mitteilen, dass jeder Einzelne zählt, ein jedes einzelne Bewusstsein zählt.

So, wie ihr bewusst euren Körper mit eurem Bewusstsein beeinflussen könnt, so könnt ihr auch das Gesamtgeschehen auf eurer Welt mit einem zielgerichteten Bewusstsein beeinflussen. Es ist UNWAHR, dass ein Einzelner nichts ausrichten kann.

Zum Abschuss verstärke ich noch einmal meine göttliche Schwingung in und durch euch und in dem Raum, der euch umgibt.

Ich möchte, dass ihr euch an meine Worte erinnert, wenn ihr einer Situation gegenübersteht, mit der ihr nicht einverstanden seid. Ihr habt die Macht, ihr habt das Bewusstsein, eure sowie die Gesamtsituation zu verändern.

Ich habe gesprochen.

48
Esradnom

„Die Wiege einer inadäquaten Entwicklung."

Ich führe dich zurück in die Vergangenheit. Zur Wiege oder Geburtsstunde der inadäquaten Entwicklungen auf dieser Welt. Der Ort, den du hier siehst, befindet sich in den Steppen Kasachstans. Eine kleine Gruppe Abtrünniger oder verjagter Menschen – Ausgestoßene – hatte sich zum Zwecke des Überlebens in einer Horde organisiert. Sie erschufen als erstes ein unterirdisches Graben- oder Stollensystem, das ihnen als Unterkunft und Schutz gegen unwirtliche äußere Bedingungen diente.

Einer, der über die Anwesenheit der Abtrünnigen Bescheid wusste, trat in ihre Mitte und ermächtigte sich allein durch seine charismatische Ausstrahlung ihrer Seelen und Wünsche. Diese Person war ebenfalls ein Ausgestoßener. Er war ausgebildet in verschiedenen zeremoniellen Künsten und einem Verständnis für die Zusammenhänge der Welt, über das Vorhandensein von Bewusstsein in jeder kleinsten Einheit und dem Großen Ganzen.

Seine eigene Geschichte hatte ihn dazu herangebildet, sich unverstanden zu fühlen und seiner Suche nach Anerkennung und Wertschätzung keine eigenen liebevollen oder ehrlichen Ambitionen gegenüberzustellen.

Da die Abtrünnigen führungslos waren und sich ein Anführer mit äußerlich klarer Verfassung ihnen anbot, überließen sie ihm bereitwillig Organisation, Richtungsvorgabe und die Sorge für das alltägliche Brot.

Er gewann unter seinen Anhängern Anerkennung und Respekt, die sowohl der Angst vor seinen Strafen als auch der ehrlichen Wertschätzung seiner organisatorischen und seherischen Fähigkeiten geschuldet waren.

In diesem Anführer, der sich ab einem bestimmten Zeitpunkt seines Lebens selbst Tarkan nannte, wohnte ein Wunsch nach Vergeltung oder Rache inne. Der Zorn in seinem Innern konnte sich nicht ausreichend entladen und verdunkelte nach und nach sein Innerstes (Solarplexus).

Seine Rachegelüste nahmen Überhand und er beschwor längst vom Angesicht getilgte Wesenheiten, die ihr heute Dämonen nennen würdet. Es gelang ihm, sie an sich zu binden. Unter seinen Anhängern wuchs die Angst vor Tarkan ins Unermessliche.

Da sie über seine Vorgehensweisen informiert waren, hielt er sie teilweise gewaltvoll davon ab, sich von ihm abzuwenden. Aus dieser kleinen Gemeinschaft und der erzwungenen Verbrüderung mit dämonischen Wesen der Anderswelt gingen die ersten Störimpulse auf eurem Planeten hervor.

Diese entwickelten sich außerhalb der natürlich-dualen oder polaren Entwicklung des Menschengeschlechts. Durch die vorherrschende Angst und den einzigen Ausweg in Unterwerfung oder Tod gelangte Bewusstsein in das Menschengeschlecht, das über viele Generationen weitergetragen und kultiviert wurde.

Die erdgebundenen Wesenheiten und Dämonen der Anderswelt wurden durch Tarkans Vermächtnis weiterhin am Erdenrund gefangen gehalten. Auch hier herrschte Wut und Verzweiflung über die erzwungene Maßnahme. Deren Ausstrahlung ist nach wie vor aktiv und bis ins Heute zu spüren. Viele Generationen von Heilern und Meistern eurer Menschheitsgesellschaft haben davon Kenntnis erhalten (und jeder hat auf individuelle Weise lichtvolle Energie dagegengehalten, Heilung oder Heimatentsendung versucht), konnten jedoch nur erreichen, dass sich der Einfluss auf einem begrenzten Territorium aufhält beziehungsweise in seiner Ausbreitung stagniert.

Um zu verstehen, dass nach wie vor in der irdischen Gemeinschaft Überbleibsel dieser kollektiven Vergangenheit lebendig sind, habe ich euch hierher geführt. Ich verstehe deinen Drang, diese Situation zu beenden, doch wisse, dass dies nicht der Zwecks eures Besuches ist. Vielmehr möchte ich euer Bewusstsein dafür öffnen, welche weiteren Gefahren der Menschheit harren können, wenn sie ihren lichtvollen Fokus verliert oder meint zu verlieren.

Eure Aufgabe ist es, zu jeglicher Stunde in jeglicher Situation dem Lichte zu folgen. Über den Verbleib der dämonischen Energien möchte ich euch wissen lassen, dass sie im Verlauf von circa 1.000 Erdenjahren vollends versiegt sein werden, da sich die Wesenheiten ohne Nahrungs- oder Energiezufuhr befinden und an Kraft verlieren.

Ich habe gesprochen.

49
Piantas

„Zugehörigkeit und Bestätigung sind notwendige Erfahrungen."

Zu den Ausführungen von Esradnom möchte ich ergänzen:

Es ist dem menschlichen Wesen immanent, nach Anerkennung, Liebe, Zugehörigkeit und Wertschätzung zu streben, da diese hohen Werte im Bewusstsein des einzelnen Individuums eine Entwicklung und Reifung auslösen, die im ungeliebten Wesen nicht stattfindet.

Daher ist es von großer Bedeutsamkeit für jeden inkarnierten Menschen, Liebe zu empfangen und sich aufgrund seiner Rasse, Hautfarbe, sexuellen Ausrichtung, Talente, Körpergröße, Individualsehnsüchte oder vielen anderen Aspekten zugehörig zu fühlen oder sich im Gegenüber wiederzufinden.

Die Zugehörigkeit und Bestätigung führt zu einem inneren Herzensstrom, der die Grundlage für Selbstliebe bildet. Menschen, die sich entschieden haben, ohne diese Selbstliebe-Grundlagen im Leben voranzuschreiten, führen vor allen Dingen ein wahrhaft ausgegrenztes Leben aus sich selbst. Je nach der Gestaltung und Perspektive des weiteren Lebensweges sind alle Selbstliebe-Prozesse reproduzierbar oder – in euren Worten – heilbar.

Die beschriebenen Auswirkungen, die Tarkans eigene Ausgrenzung herbeigeführt hat, sind Teil des überdimensionalen oder mächtigen Erwachensspiels der inkarnierten Menschheit. Sie (die Ereignisse rund um Tarkan) haben nicht nur dazu geführt, dass sich alle seine Anhänger müde oder resigniert unterwarfen, sondern auch das Gegenteil hat stattgefunden: Die Erkenntnis, der freien Entscheidung beraubt worden zu sein und dagegen wiederum aufzubegehren.

Ich habe gesprochen.

50 Portale SinnenTor und Reinigung – Aktivierungen 7 und 8

Die Portal-Aktivierung des SinnenTors und der Reinigung fand am 11.09.2020 statt. Die Aufzeichnung inklusive aller Energien findest du auf unserem 77ThetaTrans™-Youtube-Kanal: https://youtu.be/EX99rca9AJc

Nimm ein oder zwei tiefe Atemzüge in deinem ganz persönlichen Rhythmus, ohne etwas zu verändern, ohne etwas zu müssen oder zu wollen. Es geht nur darum, dich jetzt so wahrzunehmen, wie du gerade bist.

Lenke mithilfe deiner Aufmerksamkeit oder Intention die nächsten Atemzüge tief hinunter in dein Wurzel-Chakra, in deinen Beckenraum und spüre der Energie nach, wie sie sich in deinem Becken, in deinem Wurzel-Chakra entfaltet.

Und die nächsten vorbereitenden Atemzüge lenkst du mithilfe deiner Aufmerksamkeit weit hinauf in dein Kronen-Chakra an deiner Schädeldecke und auch hier: Erlaube dir, hinzuspüren, wie sich die Energie dort entfaltet.

Auf diese Weise sind wir alle optimal ausgerichtet zwischen Himmel und Erde, zwischen unserer Quellenergie und dem Planeten, auf dem wir gerade inkarniert sind.

Zeda

Ich bin Zeda. Ich bin gekommen, um mit euch das nächste Übergangsportal zu öffnen und zu aktivieren.

Die Energiequalitäten, in denen ihr aktuell lebt, dienen alle dem nächstgrößeren Entfaltungsschritt von Mutter Erde und der gesamtmenschlichen Bevölkerung, die aktuell hier verweilt. Jede einzelne Seele, jedes einzelne Geschöpf, das auf Mutter Erde inkarniert ist, ist in seiner Seelenessenz sich dessen bewusst, Teil des Überganges zu sein. Dieses Bewusstsein ist in eurem Verstand nicht allgegenwärtig. Es ist durch verschiedene Umstände und Erlebnisse, Verstandeskonstruktionen, Emotionen, Ereignisse, Gedanken, psychische und physische Einwirkungen vorübergehend verdeckt. Je näher du deiner eigenen Seelenfrequenz kommst, desto mehr verschwinden oder entfernen sich diese hinderlichen Einflüsse und legen deine Erinnerungen frei.

Einen ähnlichen Prozess durchläuft jedes inkarnierte Geschöpf und Mutter Erde daselbst. Wir alle schreiten einem höheren Bewusstseinszustand entgegen.

Das Portal, das ich heute aktiviere, ist ein Portal des sinnlich-emotionalen Überganges.

Die Aktivierung der entsprechenden Schwingungsfrequenzen und die Öffnung für alle hindurchtretenden Geschöpfe erlaubt euch sinnlich-körperliche oder seelisch-sinnliche ekstatische Zustände.

Das Wort der Ekstase ist in eurer aktuellen Gesellschaft anders geprägt als wir es verstehen. Ekstase ist ein Zustand, der alle anderen Einflüsse ausblendet und das pure Sein in den Vordergrund rückt. Dieses pure Sein kann auf verschiedene Arten und Weisen wahrgenommen werden.

Die sinnlich-körperliche Erfahrung von Ekstase kennt ihr eventuell aus Genuss-Situationen der körperlichen Liebe, des körperlichen Austauschs, der körperlichen Berührung, der Sexualität, der Sinnenerfahrung beim Essen, bei Hörgenüssen, Gerüchen, Geschmäckern, einem visuellen Eindruck, einem Bild oder vielen anderen Gelegenheiten. Kunstwerke, die mit den Händen berührt werden, können Ekstase der Sinnenempfindungen ebenso auslösen, wie Gedanken oder Worte eine spirituell-seelische Ekstase hervorrufen können.

Alle diese ekstatischen Zustände haben gemeinsam, dass sie eine Konzentration, eine Fokussierung auf euren Urzustand, euren ursprünglichen Seinszustand erlauben.

Während ihr meine Worte vernehmt, konzentriere ich die Energien dieses Sinnenportals für den gemeinschaftlichen Übergang aller lebenden Entitäten, aller materieller und lebendiger Schöpfung.

All eure Auraschichten, Chakren, Energiekörper werden ebenfalls in diesem Sinnenportal aktiviert und in einen neuen, empfänglicheren Zustand versetzt.

Das Empfangen und Erlauben der Sinnenzustände im Körper ist von wesentlicher Bedeutung. Wer sich dieser Erfahrung versperrt, versperrt sich seinem ursprünglichen Sein. Wer sich seinem ursprünglichen Sein nicht öffnen kann, wird mit den Veränderungen des Bewusstseins kollidieren. Die bessere Variante ist es, mitzufließen.

Für die vollständige Aktivierung und Initialisierung des Portals erhöhe ich jetzt die Energien in einem weltumspannenden Maß.

Ich öffne den Durchgang für alles Lebendige, alles Entwicklungsbereite, alles Sinnlich-Sehnende, alles von Licht Durchdrungene, alles Suchende und alles Bewusste.

Während der nächsten vier Stunden öffnet sich das Portal zu seiner Gesamtvollendung.

Ich habe gesprochen.

Merlin

Ich bin Merlin. Gekommen mit den Hüterdrachen eines jeden Potenzials eines jeden Menschen auf Erden und von Lady Gaia daselbst.

An meiner Seite sind Serapis Bey, Navastim, ehemaliges Mitglied der lemurianischen Heilergilde und Großmeister des lemurianischen Rates sowie weitere aufgestiegene Meister und Vertreter der großen SternenAllianz.

Wir sehen, dass auf Erden noch viele Gedankenkonstrukte existent sind, die weder der Menschheit noch Lady Gaia dienen. Gedankenkonstrukte, die teilweise tausende von Jahren alt sind. Immer wieder modifiziert und dazu geeignet, den Geist nicht frei fließen zu lassen. Dazu geeignet, den Körper nicht Körper sein zu lassen, dazu geeignet, nicht seiner Seelenaufgabe zu folgen und eine Barriere herzustellen zwischen eurem inkarnierten Selbst und eurer göttlichen Herkunft.

So, wie ihr göttlicher Herkunft seid, so ist auch Lady Gaia göttlicher Herkunft. So, wie ihr euch auf einer Reise befindet, befindet sich auch Lady Gaia auf einer Reise. Durch einen Bewusstseinsstrom seid ihr weit in die Dichte eingedrungen. Jetzt schließt sich der Kreis. Ihr seid auf eurer Heimreise, so wie auch Lady Gaia auf ihrer Heimreise ist.

Um euch diese Reise etwas zu erleichtern und euch schönes Wetter zu machen, werden wir heute ein Portal öffnen, durch das unsere Freunde zu euch kommen können und ein großes Feld installieren werden, welches die dunklen Wolken eurer Gedankenkonstrukte nach und nach auflösen wird.

Wir beginnen mit der Öffnung dieses Portals und mit der Installation der Ankerstationen. Meister Serapis Bey wird dies höchstpersönlich überwachen.

Navastim, Großmeister des lemurianischen Rates und ehemals Mitglied der lemurianischen Heilergilde, wird eigens dafür ein lemurianisches Heilfeld erschaffen, welches dazu geeignet ist, diese Gedankenkonstrukte, die verantwortlich sind für Angst, Ohnmacht, Kleinhalterei, Sich-selbst-nicht-wichtig-Nehmen, Furcht und andere Mechanismen, die euch nicht in eure Stärke gehen lassen, hinwegzunehmen.

Dieses Feld wirkt wie ein großes Ansaugrohr für diese Gedankenkonstrukte, die euch nicht länger dienlich sind, die euch davon abhalten, mit eurer Göttlichkeit im Einklang zu leben.

Alle Relaisstationen wurden durch die SternenAllianz installiert. Helfer der lemurianischen Heilergilde stehen bereit, um dieses Feld der Reinigung zu installieren. Gebt uns die Ehre und intoniert mit uns gemeinsam das lemurianische Mantra.

Emra em mrascheem
Soladi je he
ma relihe jo loho
va nim.

Emra em mrascheem
Soladi je he
ma relihe jo loho
va nim.

Emra em mrascheem
Soladi je he
ma relihe jo loho
va nim.

Habt vielen Dank für eure Präsenz.

Während eures Gesanges wurde das Feld der Reinigung für Mutter Erde und ihre Geschöpfe vollständig installiert und ausgerichtet. Wir bedanken uns bei Navastim und allen Helfern der lemurianischen Heilergilde, indem wir nun gemeinsam das abschließende lemurianische Mantra intonieren.

Uum na mhra eehm.
Uum na mhra eehm.
Uum na mhra eehm.

Habt Dank für eure Energien.

Dieses Portal und Feld der Reinigung wird bestehen bleiben. Mindestens für die Dauer von vier bis sechs Wochen und auch darüber hinaus, wenn dies erforderlich sein sollte.

Wir haben gesprochen.

Zeda

Ich bin Zeda. Für die folgende Zeit des Überganges möchte ich euch weitere Informationen zur Verfügung stellen.

In einer Phase, die sich vom Alten löst und in das Neue hinübergleitet, ist es selbstverständlich, dass nicht jedes alte Konstrukt mit übernommen werden kann. Es ist selbstverständlich, dass nicht jedes alte Konstrukt der neuen Phase dienlich sein kann. Es ist selbstverständlich, dass viele kleinere oder größere Abschiede bevorstehen. Diejenigen Abschiede, die der Menschheit am schwersten fallen, sind die, bei denen es darum geht, alte Bilder und Überzeugungen hinter sich zu lassen.

Alle bereits installierten Portale und alle noch folgenden Portale werden dieser Tatsache Rechnung tragen. Sie erleichtern euch insbesondere den Umgang mit altem Gedankengut und dem Heranwachsen und Heranreifen von neuen Gedanken, die eurer individuellen und der gesellschaftlichen Entwicklung dienlicher sind.

Ihr werdet feststellen, dass ihr auf verschiedene Situationen und Ereignisse der Vergangenheit neu blickt. Ihr werdet beobachten, dass ihr andere Gedanken in Bezug auf verschiedene Personen, Situationen oder Umstände denkt als zuvor. Ihr werdet beobachten, dass ihr diese neuen Gedanken in Worte kleidet. Ihr werdet beobachten, dass sich eure Gespräche und Bemerkungen mit Mitmenschen verändern. Ihr werdet beobachten, dass auch die Antworten und die Meinungen der Mitmenschen sich verändern und einer größeren, weiseren Weltsicht entspringen.

Es wird viele kleine unsichtbare Veränderungen geben. Ein inneres Wachstum oder ein Reifeprozess, der nicht von einer auf die andere Minute sichtbar wird, sondern sich eher über einen Abschnitt von verschiedenen Wochen, Monaten oder Jahren zeigt.

Der gesellschaftliche Wandel, dem ihr jetzt gemeinsam unterliegt, ist von besonderer Natur. Er stellt einen gemeinsamen Quantensprung der Entwicklung dar.

Gingen bisherige Wandlungen und Wachstumsphasen auf die eben beschriebene Art und Weise vor sich und vonstatten, wird dieser aktuelle Bewusstseinswandel seine Veränderung wesentlich deutlicher, schneller, nachhaltiger ans Licht bringen. Dies ist unter anderem der Tatsache geschuldet, dass ihr bereits mit einem höheren Schwingungsniveau in den Wandel eingetreten seid.

Eure menschliche Gesellschaft war zum letzten Wandlungssprung vor ca. 1.800 Jahren in einer anderen ursprünglichen „Normal"-Verfassung. Mit jedem Hinzuwachsen von Bewusstheit werden die jeweils danach folgenden Schritte schneller, leichter und exponentiell höher im Schrittmaß.

Wir haben der Menschheit den Weg geebnet, einen wahrhaft großen Entwicklungsschritt zu vollziehen. Ihr Menschen habt euch selbst dazu ermächtigt und entschieden, diesem Schritt beizuwohnen. Es bestand die Möglichkeit, dass viele von euch sich der menschlichen Erfahrung des Bewusstseinswandels entziehen, indem sie diese Welt vorzeitig verlassen.

Ihr habt euch dagegen entschieden.

Ihr habt euch selbst ermächtigt, eigene Schritte zu gehen, bewusst mit eurem Tagesbewusstsein den Wandel zu erleben, zu begleiten und maßgeblich mitzugestalten.

Wir sind darüber sehr erfreut.

Für die kommenden zwölf Wochen werdet ihr noch einiges an Turbulenzen im Außen erleben. Jedoch möchten wir euch zu wissen geben, dass ihr bereits die kritische Masse überschritten habt. Ihr seid bereits so viele, dass sich das Rad des Schicksals weiterdreht, anstatt zu stagnieren.

Die größte Gefahr in Phasen des Überganges ist es, dass eine Bewegung, der von langer Hand entgegen gewirkt wurde, zum plötzlichen oder unerwünschten Stillstand gerät. Dies ist bereits abgewendet. Bereits jetzt ist zu sehen, dass sich alle Energien, egal, ob ihr sie einordnet nach hell-dunkel, gut-schlecht, richtig-falsch, weiß-schwarz, männlich-weiblich, rational oder emotional, all diese Aspekte in ein Gleichgewicht zurückbewegen, das einer dauerhaften zyklischen Bewegung dienlich ist.

Ich habe gesprochen.

51
Esradnom

„Über die Gegebenheiten der unterirdischen Architektur."

Ich bin Esradnom und möchte euch weiterhin aufklären über die Gegebenheiten der unterirdischen Architektur.

Wie ihr vielleicht wisst, besteht unterhalb der heiligen Bauten dieser Erde ein weit verzweigtes Tunnelnetz. Dieses Tunnelsystem verbindet heilige Gebäude auf der gesamten Erde. Diese Systeme untergraben auch eure Ozeane. Sie wurden nicht durch Menschenhand errichtet, sondern während der Zeiten der göttlich Inkarnierten. An vielen Orten dieser Erde führen diese Tunnelsysteme an die Erdoberfläche. An diesen Stellen wurden die heiligen Bauten errichtet, die auf viele verschiedene Sternenkonstellationen hin ausgerichtet waren.

Einige dieser Bauten waren pyramidenförmig, während andere wie steile Säulen in den Himmel ragten. An anderer Stelle sprachen wir bereits vom Turm in Babylon. Genauso wie dieser Turm sind auch die anderen Gebäude wie Einfallstore für die göttlich-lichtvollen Energien.

In jedem dieser Gebäude befanden sich sogenannte Himmelswächter, die von den göttlich inkarnierten Wesen dazu berufen waren, diese Tore zu hüten und die Reinheit der Energien zu gewährleisten.

All diese einfließenden Energien werden auch durch das unterirdische Tunnelsystem geleitet. Dieses Tunnelsystem wirkt wie ein lebenserhaltendes Netz, durch das die göttlichen Energien durch alle Gesteinsschichten bis hinein in den Kern des Planeten Erde kanalisiert werden. Sie treffen sich im Erdmittelpunkt.

So wie sich in Mutter Erde die göttlich-heiligen Energien bündeln und nach außen strömen, an die Erdoberfläche, geschieht es auch in euren Körpern.

Ziel und Zweck dieses Verfahrens ist es, die göttliche Energie durch das Wesen von Mutter Erde zum Ausdruck zu bringen. Reine göttliche Energie strömt hinein, durch die heiligen Tore, durch die geschützten Gänge, bis in das Herz und wird durch dieses Herz neu belebt und neu geformt und zum Ausdruck gebracht.

Die göttliche Energie, die durch euch strömt, strömt durch euer heiliges Tor (Anmerkung: Das „heilige Tor" befindet sich im Unterbauch nahe dem Bauchnabel. Es ist ein kosmischer Urpunkt, durch den wir mit dem universellen Bewusstsein verbunden sind und durch den sich der göttliche Strom in uns manifestiert.) in euch hinein und wird durch euer Innerstes, durch euer Herz gewandelt und ebenso wieder nach außen gebracht. So entsteht ein ständig sich wandelnder göttlicher Strom.

Für dieses Prinzip gilt auch: Wie im Kleinen, so im Großen. Der göttliche Strom verwirklicht sich durch euch genauso, wie er sich durch jede einzelne eurer Zellen verwirklicht; der göttliche Strom verwirklicht sich durch Mutter Erde genauso, wie er sich durch andere Planeten, Planetoide oder andere Himmelskörper verwirklicht; genauso, wie sich der göttliche Strom durch andere Universen, Galaxien und dem gesamten Kosmos verwirklicht. Er durchströmt alles, wird neu geformt, strömt wieder zum Ausgangspunkt zurück und wird wieder hinaus in die Welt geschickt, um sich wiederum zu transmutieren.

Die Gänge unterhalb eurer heiligen Bauten wurden geformt durch den göttlichen Strahl. Dafür verantwortlich waren die göttlich inkarnierten Wesen. Jene, deren Geist sich noch immer dort aufhält.

Ihr werdet in den gelehrten Schriften eurer Zeit darüber nichts finden, da sich das, was vor langer Zeit in Existenz kam, nicht mit euren wissenschaftlichen Methoden oder

Messstationen erklären lässt. In den nächsten zwei Jahrhunderten werden sich euer Geist, euer Denken, euer Handeln, euer Sein und somit auch eure Lehrmethoden und euer sogenanntes wissenschaftliches Arbeiten völlig gewandelt haben. Bis es soweit ist, gilt es für viele von euch, ALL ihren Sinnen zu vertrauen.

Ich habe gesprochen.

52
Karmesinrote Seraphim

„Es ist eines eurer höchsten Ziele, euch selbst im höchsten Glückszustand zu erfahren."

Wir sind die Karmesinroten Seraphim. Wir spülen mit unserer heiligen Frequenz hier bei euch im Raum durch alle Gemüts- und Emotionalschichten. Wir erfüllen alles Innere und Äußere eures Wesens mit der Energie von Ekstase, Leidenschaft, Erfüllung und Zufriedenheit.

Alle genannten Aspekte bedingen und ergeben sich gegenseitig. Es gibt keine Erfüllung ohne einen Wunsch, der erfüllt werden möchte.

Es gibt keine Befriedigung ohne die Sehnsucht, die ihr vorausging. Alles ist ein stetiges Wechselspiel von Suchen und Finden, Gefundenwerden und Verlangen. Durch die Eröffnung des Sinnenportals für die gesamte Gesellschaft eurer Menschheit werden unsere Strömungen erstmals wieder für eine breite Masse an Individuen spür- und erlebbar.

Alles Erfüllende in dir ist zuvor ersehnt oder gesucht worden von deinem Gegenüber. All deine Suche hat ein Ende, indem du dir die Erfüllung zu empfangen erlaubst.

Das gebende und nehmende Prinzip führen durch unsere Anwesenheit in ein immerwährendes Spiel der Ausgeglichenheit, der zyklischen Bewegung von sehnenden und hingegebenen Energien.

Für eure Entwicklung in das Gebaren und vollumfängliche Sein des Neuen Menschen ist es unerlässlich, alle dualen Aspekte in ein gemeinsames Schwingen zu versetzen. Alle Bewertung entfällt, wenn du dir erlaubst, jeden noch so widersprüchlichen Impuls als Schwungmasse oder Antrieb deiner individuellen Kreisläufe zu betrachten.

Durch eure Hingabe in jedem Augenblick, in jedes vermeintlich Unattraktive, Unangenehme oder Hinderliche gebt ihr eurer eigenen Entwicklung fortwährenden Antrieb. Den Schwung, der benötigt wird, um in die nächste Phase des Zyklus hinüberzutreten, den nächsten Schritt zu vollziehen oder das Heranreifen einer Entwicklung voranzutreiben.

In den vergangenen Jahrhunderten war unsere Energie unerreichbar. Nur jene, die sich den Künsten der Sexualmagie, des Tantra, der spirituellen Lebenserfüllung, der weißen und schwarzen Magie oder den heidnischen Kulturen der Fruchtbarkeit gewidmet haben, wussten von unserer Existenz.

Jedoch war es uns nicht möglich, unsere Schwingung dauerhaft und umfänglich in eurem Weltenrund zu etablieren. Wir konnten nur punktuell mit einzelnen Wesen in Kontakt treten und so blieb unsere Existenz größtenteils verborgen. Durch unseren Wiedereintritt in euer tagesbewusstes Dasein steht jetzt der gesamten Menschenheit eine Erfüllungsenergie zur Seite, die sich über die körperlich-sinnliche Ekstase hinaus in allen Lebensbereichen zeigen und entfalten kann.

Wir beleben dadurch eure Erfüllung auch in den Bereichen der persönlichen Entwicklung, des beruflichen Erfolges, der körperlichen Selbstwahrnehmung, der Liebesbeziehungen, der Gesundheit und familiären Bande. Alle diese Lebensbereiche sehnen sich nach Erfüllung und werden von Energien gespeist, die aus euren Bildungssystemen, wirtschaftlichen, politischen, gemeinschaftlichen, wissenschaftlichen Bereichen genährt und animiert werden.

Unsere Frequenz ermöglicht es euch, alle eingespeiste Energie in euren Sinnen zu wandeln und zu verwenden. Dabei werdet ihr feststellen, dass jede, wirklich jede Ausgangsenergie in Liebe und ekstatische Erfüllung gewandelt werden kann und sich tatsächlich in euch wandelt.

Für eure Weiterentwicklung geben wir euch zu wissen, dass es eins eurer höchsten Ziele ist, euch selbst im höchsten Glückszustand zu erleben. Dazu gehört die Verwirklichung eurer Wünsche, Sehnsüchte und Träume. Dazu gehört es, euch zu erlauben, all diese Bedürfnisse, Sehnsüchte, Träume und Visionen wahrzunehmen, sie anzuerkennen als einen Teil eures Seelenausdrucks und sie wiederum durch das Anerkennen und Annehmen der Erfüllungsenergie eurer Existenz darzubieten.

Hier vollendet sich der Zyklus eines einzelnen Wunsches und bringt in seiner Erfüllung eine neue Frage, eine neue Sehnsucht, ein neues Ziel hervor, das seiner Erfüllung entgegenstrebt.

Wir haben gesprochen.

53
Sophia

„Das Zeitalter der Frauen ist nun herangebrochen."

Ich bin Sophia. Mutter der Mütter. Mutter der Weisheit. Gekommen, um dem Göttlich-Weiblichen auf eurer Welt wieder zu mehr Ausdruck zu verhelfen, ihm ein Gesicht zu verleihen. Es ist mir eine große Freude, dem göttlich-weiblichen Aspekt in allen Menschen auf Erden mit meiner Energie zum Ausdruck zu verhelfen.

Die Weisheit der göttlichen Mutter wirkt in mir. Äonen sind vergangen, in denen das göttlich-weibliche Prinzip oder der göttlich-weibliche Aspekt unterdrückt wurde, nicht beachtet wurde, verfälscht wurde. Das Zeitalter der Frauen ist nun herangebrochen. Ich werde eure weise Führerin sein.

So, wie Mutter Erde ihre Kinder liebt, so liebe ich meine Kinder. Ihr alle seid meine Kinder. Ich liebe einen jeden Einzelnen von euch ohne Ansehen seiner Gestalt, seiner Wirkung, seines Ausdrucks, seiner Handlung oder Denkweise. Meine Liebe ist bedingungslos und gütig. So wie ich euch betrachte, so sollt ihr euch selbst betrachten. So wie ich euch annehme, so sollt ihr euch selbst annehmen. So wie ich euch liebe, liebt euch selbst!

Dies ist für heute meine wichtigste Botschaft.

Ich werde in den folgenden Tagen noch häufiger zu euch sprechen.

Die Zeit der Verleugnung sowie der Selbstverleugnung ist vorüber. Dies ist die Zeit, um mit offenem Herzen für das einzustehen, das ihr SEID. Euch den Ausdruck zu erlauben, der euch gebührt. Dem göttlichen Wirken in euch gestatten, sich auszudrücken. Nicht, dass ihr sie benötigen würdet, doch ich erteile euch hiermit ausdrücklich meine Erlaubnis. Ihr seid das Schönste, das ich hervorgebracht habe, ich danke euch, dass ihr meiner Energie Ausdruck verleiht.

Ich habe gesprochen.

54
Sophia

„Der Tsunami der Liebe ist eine Kraft, die alles verschlingt, was nicht Liebe ist."

Ich bin Sophia. Kosmische Mutter, die aus sich selbst empfing und alles Leben gebar.

Meine Energie sowie die mir innewohnenden Prinzipien wurden am Anbeginn der Menschheit hoch geachtet und verehrt, wie es einer Göttin gebührt. Ich habe niemals Ehrfurcht oder Ehrerbietung eingefordert. Doch alle Geschöpfe, die meinen Geist verspürten, öffneten dadurch ihre Herzen und es erwuchs aus ihrem Innern heraus eine große Dankbarkeit und Wertschätzung für mein Sein und Wirken.

Alle Materie – besonders alle individualisierte Materie – ist mir sehr ans Herz gewachsen. Die Entwicklung, die die individuellen Geschöpfe genommen haben, wurde in mein Allwissen eingespeist und durch mich wiedergeboren. Mit dem Erstarken der männlichen Energie (Vorherrschaft) geriet mein Einfluss mehr und mehr in Vergessenheit, genauso wie meine Eigenschaften als Lebensspenderin.

Göttin wurde zum Gott. Das männliche Prinzip zur alleinig seligmachenden Maxime erhoben und die göttlich-weiblichen Eigenschaften unterlagen. Mein Geist, mein Bewusstsein inkarnierte wieder und immer wieder in ausgewählten Frauen in der Menschheitsgeschichte. So verankerte ich meine Energie auf eurem Planeten und stellte sicher, dass meine Weisheit nicht verloren ging.

(Sabine, du bist nun eine der Frauen, die mein Bewusstsein weiterträgt. Das ist jedoch nicht deine einzige Aufgabe. Du bist nicht nur eine Fackelträgerin meiner Energie, du bist diejenige, die das große Feuer entzünden wird.) In euren spirituellen Schriften wird häufig Bezug genommen auf den sogenannten Tsunami der Liebe. Ich möchte betonen, dass ihr das ganze Ausmaß und die Bedeutung dieses Bonmots noch nicht geschaut habt.

Tsunami der Liebe bedeutet eine Kraft, die alles verschlingt, was nicht Liebe ist. Er wird hereinbrechen über alles, was existiert, und was nicht niet- und nagelfest ist, wird von ihm mitgerissen werden und sich ihm hingeben müssen. Es wird einige (Menschen) sowie einige Gebäude und Gewächse geben, die in diesem Tsunami stehenbleiben werden. Sie sind die Leuchttürme, an denen sich alle anderen orientieren können. So ein Leuchtturm bist du.

Nachdem diese Liebeskraft über die Erde hinweggefegt ist, wird sie ihr Gesicht verändert haben. Alles wurde dann aus den Angeln gehoben. Die Welt wurde aus den Angeln gehoben und sie wird dadurch frei, sich ihrem Wesen nach zu entfalten, eine andere Richtung einzuschlagen und ihren Weg im Einklang mit ihrer Seelenentwicklung fortzuschreiten.

Die morgige Portalöffnung wird der Anfang dieses Tsunamis der Liebe sein. Eine Gewalt, die friedlich und friedliebend ist, wird sich auf eurem Planeten ausbreiten, alles und jeden mit dieser Energie durchdringen, die sich von der Quell-Energie, die ihr bisher als bedingungslose Liebe gekannt habt, deutlich unterscheiden wird. Auch diese Liebe wird bedingungslos sein, doch eine ganz andere Qualität haben.

Ich freue mich sehr auf unser gemeinsames Wirken und auf die Veränderungen, die durch uns ermöglicht werden.

55
Portal Selbstverwirklichende Annahme - Aktivierung 9

Die Portal-Aktivierung der selbstverwirklichenden Annahme fand am 14.09.2020 statt. Die Aufzeichnung inklusive aller Energien findest du auf unserem 77ThetaTrans™-Youtube-Kanal:
https://youtu.be/x6PT4_U9-Kg

Nimm ein oder zwei tiefe Atemzüge in deinem ganz persönlichen Rhythmus. Verändere nichts. Nimm dich einfach nur wahr.

Die nächsten Atemzüge lenkst du mithilfe deiner Aufmerksamkeit in deinen Herzraum. Beobachte, wie die Energie deinen ganzen Brustkorb durchströmt und weit darüber hinaus ausstrahlt.

Du kannst weiterhin wahrnehmen, wie all deine Auraschichten von deinen Herzstrahlen erfüllt werden und immer mehr Präsenz zeigen in deiner Umgebung. Mit deinem ganzen Sein bist du jetzt präsent für diesen nächsten Schritt des Wandels.

Zeda

Ich bin Zeda, Schöpferdrachin Des Fünften Chakras.

Jeder Ausdruck deiner Persönlichkeit, jeder Ausdruck deines wesenhaften Selbstes ist Ausdruck der Schöpfung in dir, ist Ausdruck deiner individuellen Seelenstrahlung, ist Ausdruck deiner Wünsche, Sehnsüchte, Befürchtungen, Liebesfähigkeit, deiner Talente und Schöpfungsansinnen. All dies, was du verkörperst, in die Welt zu tragen, vervollständigt sie als Ganzes. Erst alle göttlichen Aspekte gemeinsam erfüllen den Weltenmodus der Neuen Erde. Dazu trägt jedes Licht, jeder Funke, jede Seele und jedes Geschöpf auf dem Erdenrund bei.

Ich bin heute gekommen, um das Portal der selbstverwirklichten Annahme zu öffnen. Durch dieses Portal wird Energie in eure Übergangsphase eingeleitet, die einen jeden von euch umhüllt und durchströmt mit der Fähigkeit, sich selbst neu wahrzunehmen und allen inneren Zweifel auszulöschen.

Es gibt keinerlei Grund, an dir selbst zu zweifeln, entzwei zu fallen oder in zwei Arten über dich zu denken. Es gibt nur eine Art deines Wesens und die ist EINheit.

Du bist Einheit in dir.

Alle Aspekte, die du dein Eigen nennst, sind in einem Wesen vereint. Die Bewusstheit darüber, dass bereits alles scheinbar Widerstrebliche in dir einen gemeinsamen Ruheplatz gefunden hat, ist von essentieller Tragweite.

Du bist die Verkörperung aller Ausdrucksformen dessen, was aus deinem Seelenstrahl inkarniert ist. Zu deinem Entwicklungspotenzial gehören deine Ängste, Befürchtungen und Träume ebenso, wie all deine Freude, Erfüllung und Zuversicht. Das Eine schließt das Andere nicht aus.

Zweifel ist die Energie, die eine Entscheidung von dir fordert, die jedoch nicht notwendig ist. Alles, was in dir zum Ausdruck kommen möchte, ist erwünscht und begrüßenswert, da es jeweils den Antrieb dafür bildet, die Erfüllung des Ganzen zu erspüren.

Mit der Aktivierung des Portals werden euch meine Worte klarer zu Bewusstsein gelangen, mehr Sinn ergeben und euch mit der Gesamtheit eures Seins erfüllen.

Für die Portal-Aktivierung dehne ich die Energien der selbstverwirklichenden Annahme jetzt über eurem Erdenrund aus. Ich erzeuge einen Spannungsbogen, der sich in den nächsten Minuten entfalten und zu seiner vollständigen Größe aufspannen wird.

Wir treten jetzt hinüber in den neuen Zeitenraum der selbstverwirklichenden Annahme.

Ein jedes Lebewesen, ein jedes Geschöpf wird erkennen, wer es in Wahrheit ist.

Ein jedes Geschöpf wird annehmen können, was es wahrnimmt.

Ein jedes Individuum der großen Kollektive der Menschenheit und der extraterrestrisch Inkarnierten wird in der Lage sein, sich selbst zu verwirklichen durch die Annahme dessen was ist.

In der Selbstannahme wird es euch möglich werden, auch alle anderen Individuen eures Umfeldes zu akzeptieren und da sein zu lassen. Es wird euch gewahr werden, wie alle Selbstannahme und alle Selbstverwirklichung eines jeden Geschöpfes ein Großes Ganzes bilden; wie sich herausprägt, welche Muster, die ihr bisher als abstoßend empfunden habt, sich zu einem Motor der Erfüllung umgestalten; wie sich Inneres in euch, das ihr bisher nicht anzunehmen vermochtet, zu einer Kraft entfaltet, die euch voranträgt; wie sich eure innere Größe entfaltet und sich so, wie euer Herzraum, ausdehnt über euren menschlich begrenzten Körper hinaus.

Ich aktiviere das Portal der Selbstverwirklichung und Annahme.

Ich habe gesprochen.

Sophia

Ich bin Sophia, kosmische Weltenmutter.

Mit meinen göttlich-weiblichen Energien durchströme ich nun dieses geöffnete Portal, um euch in eurer Selbstverwirklichung und Selbstannahme mit meiner schützenden und wohlwollenden Liebesenergie zu unterstützen.

Mir stehen heute Engelschöre zur Seite. Dies sind die Orangegelben Seraphim sowie die Hellgrünen und die Perlmuttschimmernden Seraphim. Sie alle erhöhen nun ihre Schwingungen in den Räumen, die euch umgeben sowie um den gesamten Erdball.

Die Zeit für die selbstverwirklichte Weiblichkeit ist schon lange heraufgezogen. Nun liegt es an euch, diese zu verkörpern und euer innerstes Wesen zu verwirklichen, ihm Ausdruck zu verleihen in all euren Facetten.

Ihr alle seid Kinder Gottes, göttliche Geschöpfe. Diese Göttlichkeit in euch - nennt es euren göttlichen Funken, der niemals erlischt - dieses Feuer in euch möchte ich erneut entfachen.

So danke ich euch, dass ihr heute hier zugegen seid, um den Strahl meines Feuers zu empfangen. Er soll euch auf eurem gesegneten Lebensweg begleiten.

Ich habe gesprochen.

Zeda

Ich bin Zeda.

Durch die vollständige Aktivierung des Portals, die Segensworte und goldenen Seelenenergien von Mutter Sophia und die Schwingungen der Seraphime ist die Portal-Öffnung nun vollendet.

Durch den Vollzug der energetischen Aktivierung und Öffnung werden alle neuen Zeitenräume der Neuen Erde, des Neuen Bewusstseins, des Neuen Menschen, der Neuen Weiblichkeit und der Neuen Männlichkeit mit selbstliebenden, selbstannehmenden Schwingungen durchströmt. Es wird ein Energiepotenzial für jeden einzelnen Erdenbewohner bereitgestellt, das ihm ermöglicht, in seine vollumfängliche Eigenmacht einzutreten; sich selbst anzuerkennen als einen Teil der Schöpfung; sich selbst wert zu schätzen als wichtiges Mitglied der kosmischen Gesellschaft; sich selbst und seiner Verwirklichung entgegenzustreben; selbst aktiv zu werden für die Erfüllung und Ausformung seiner Wünsche, Ziele und Träume; seinen Intuitionen zu folgen und inspirierte Handlungen auszuführen.

Für euren Heimatplaneten, Mutter Erde, bedeutet diese Portal-Aktivierung einen bedeutsamen Schritt in Richtung ihrer eigenen Ekstase, ihrer eigenen Selbstwahrnehmung als Geschöpf der All-Einheit, ihre eigene Kraft zu schöpfen für sich selbst und den Fokus auf ihren individuellen Wesenskern zu lenken.

Die Veränderungen, die dadurch auf dem äußeren Erdenrund sichtbar werden, sind geprägt von klimatischen Veränderungen, botanischen Besonderheiten, regionalen Neubesiedlungen mit Pflanzen, Tieren und Erdwesen mit einer neuen Ausstrahlung und Fokussierung der fossilen und siliziumbasierten Lebewesen auf ihrem Rund, mit der Neuverknüpfung zu Naturdevas, Naturwesen und wesenhaften Elementalen und Elementaren.

Des Weiteren werden neu organisiert: Strukturen der geologischen Beschaffenheit auf den Kontinentalplatten und in den unterirdischen Sphären der Energiepotenzialausgleiche. Es wird eine Neuausrichtung ihrer göttlichen Selbstkraft stattfinden.

All jene Veränderungen dürft ihr begrüßen, da sie in Einklang mit der Entwicklung der menschlichen Gesellschaft und dem Bewusstseinswandel des menschlichen Wesens stehen. Ihr dürft sie begrüßen, da alle Geschöpfe von Mutter Erde und alle Bewohner der verschiedenen Kontinente ihr individuelles Einverständnis bereits vor der Inkarnation erklärt haben.

Die Veränderungen im Magnetfeld und den polaren Ausrichtungen sind ebenfalls Folge dieser Entwicklungsschritte und des Bewusstseinswandels eures Heimatplaneten. Es werden Planetoide und planetoide Körper entdeckt werden, die euren Wissenschaftlern bisher unentdeckt oder unbemerkt waren.

Der Bewusstseinswandel, der sich in Lady Gaia vollzieht, ist Ausdruck der Bewusstheitsänderung der Menschheit und der Schwingungserhöhung der kosmischen Gemeinschaft im Astralraum.

Alle genannten Individuen haben mit ihrer Inkarnation zugestimmt, den Wandel von Mutter Erde mit ihrem eigenen Wandel zu unterstützen.

Die anstehenden äußerlich sichtbaren Veränderungen sind für viele eine Herausforderung des Neuen Denkens. Ihr werdet in der Lage sein, diese Neuartigkeit als geltende Basis zu integrieren und darauf aufbauend neue Erkenntnisse zu gewinnen, neue Erfindungen zu nutzen, neues Denken und neue Schlussfolgerung in euch zu erlauben. Auch dies gehört zum Seelenplan der aktuell inkarnierten Menschheit und von Mutter Erde.

Ich habe gesprochen.

Sechster Teil

Aufwind.

56
Portal Tsunami der Liebe – Aktivierung 10

Die Portal-Aktivierung „Tsunami der Liebe" fand am 15.09.2020 statt. Die Aufzeichnung inklusive aller Energien findest du auf unserem 77ThetaTrans™-Youtube-Kanal: https://youtu.be/qi9a0IQ9-sE

Schließt eure Augen und nehmt ein paar tiefe Atemzüge.

Nehmt euren Körper wahr und atmet in euer Herz hinein.

Dehnt die Energie aus, sodass eure Herzenergie den Raum einnimmt, der ihm gebührt.

Lasst euch ganz hineinfallen in diese Energie.

So seid ihr am besten vorbereitet auf den Tsunami der Liebe.

Sophia

Ich bin Sophia. Mutter der Mütter. Mutter der Weisheit. Mutter der Welten.

Ich bin in dieser Zeit zu euch gekommen, um euch meine mütterliche Herzens- und Liebesenergie zur Verfügung zu stellen. Wir werden heute ein kosmisches Portal eröffnen, durch das meine energetische Präsenz sich ungehindert in und auf eurem Planeten und all seinen Geschöpfen ausbreiten wird.

Es sind viele weitere himmlische Helfer zugegen, um dieser Portal-Öffnung beizuwohnen. Es sind dies die Rubinroten Seraphim, die Karmesinroten Seraphim, die Hellgrünen Seraphim, die Schwarzvioletten Seraphim sowie viele weitere Himmels- und Weggefährten. Ich bedanke mich bei

Christus. Ich bedanke mich bei Mutter Maria und ich bedanke mich bei Maria Magdalena, die heute ebenfalls hier zugegen sind.

Lange Zeit schon war meine Energie nicht mehr in dem Ausmaß auf Lady Gaia zugegen, obwohl die Menschheit sie benötigt hätte. Meine Energie wurde von Frau zu Frau übertragen und so auf Lady Gaia zu jeder Zeit verankert. Jetzt, da ihr durch das Große Tor geht, über die Schwelle eures Übergangs, komme ich, um euch mit meiner Präsenz Unterstützung anzubieten.

Die Portal-Öffnung hat bereits begonnen. Ihr könnt das Einströmen meiner mütterlichen Schöpfungsenergie jetzt in euren Energiesystemen deutlich wahrnehmen. Sie durchströmt eure Energiekörper sowie euren gesamten physischen Körper. Sie durchströmt alle lebendige Schöpfung auf Lady Gaia. So ist es Lady Gaia möglich, den für sie nächsten Bewusstseinsschritt in Liebe und selbstermächtigt zu gehen.

Der Tsunami der Liebe, den ich mit dem Einströmen dieser Energie auslösen werde, wird wie eine Flutwelle über euer Land hinwegziehen.

Alles, was nicht Liebe ist, wird hinfortgerissen.

Alles, was Liebe ist, besteht.

Ich möchte mein Wort an euch Lichtkriegerinnen und Lichtkrieger, an euch Lichtschöpferinnen und Lichtschöpfer richten: Ihr seid die Leuchttürme, die zu jeder Zeit hoch aus dem Wasser ragen werden. Ihr seid weithin sichtbar. Daher ist es jetzt an der Zeit, dass ihr euren Platz einnehmt.

Schöpft mit meiner starken mütterlichen Kraft. Gebärt die Neue Zeit aus euch.

Lady Gaia ist Heimat, ist die Neue Erde. Alle Geschöpfe, die auf ihr weilen, werden sich ihrer Schwingungserhöhung anpassen.

Ich möchte euch mit einem weiteren Wort beruhigen. Ich wählte den Ausdruck „Tsunami der Liebe", weil er die Kraft ausdrückt, die jetzt benötigt wird. Es ist eine unbändige Liebeskraft, die alles durchwebt und durchströmt, aus der ihr sogar geschaffen seid.

Die Kraft und die Stärke sowie eure Liebesfähigkeit bringt zum Ausdruck! Für euer eigenes Wohl und für das gesamte Wohl der Menschheit und Lady Gaia.

Dies ist mein Wille.

So sei es.

Zeda

Ich bin Zeda, kosmisches Bewusstsein, Schöpferdrachin Des Fünften Chakras.

Alle Entstehungsgeschichte beginnt mit der freien Energie der uneingeschränkten Liebe. Alles Materielle, alles Denkende, alles Sichbewegende und Sichentwickelnde geht daraus hervor. Diese uneingeschränkte Liebe ist die Kraft eines freien Bewusstseins, einer Entität, die viele andere Entitäten hervorbringt.

So gestaltet sie sich selbst über unendliche Einzelerfahrungen, unzählige Kollektiverfahrungen und gesamtumfassende galaktische Erfahrungen. All jene strömen in ihr Zentrum, verändern es durch Erfahrung und Wissen und strömen in neuen Bahnen und Ausdrucksformen wieder in die Materie, in das Denken, in das Sein.

Dieser Kreislauf vollzieht sich ewig und immer. Eine entsandte Lichtqualität erlebt ihre Erfahrungen, Veränderungen, kehrt zu ihrer Quelle zurück, um dort durch das Gewesene Neues zu formen und wieder hinaus in die Welt zu strömen. Diesen Prozess könnt ihr in vielerlei Hinsicht in eurem eigenen Leben nachvollziehen und auch mit den Gegebenheiten von Erfahrungen und Entwicklungen im menschlichen Daseinsraum vergleichen.

Für die heutige Portal-Aktivierung stabilisiere ich die Ausdehnung und Ausrichtung des Kraftstromes, der eure Weiterentwicklung beschleunigen wird.

Während ein Lebens- oder Seelenfunke sich außerhalb seiner Quelle befindet, erfährt er Schubkraft ausschließlich durch seinen eigenen Willen, durch sein eigenes Bewusstsein und seine Bewusstheit über seinen Auftrag. Durch den Tsunami der Liebe erhält jedes am Übergang beteiligte Lebewesen, jedes Geschöpf, Mutter Erde und alle Planetoiden unseres Sonnensystems die Schubkraft einer Neu- oder Wiedergeburt, die Erinnerungsfähigkeit eures eigenen ursprünglichen Selbst und das Vertrauen und die Geborgenheit, sich am richtigen Ort zur rechten Zeit zu bewegen.

Ich habe gesprochen.

Merlin

Ich bin Merlin, Botschafter des Dreigestirns und Hüter der Drachen für das höchste Potenzial der Menschheit und Lady Gaia.

Ich bin heute zugegen, um den Potenzialschlüssel im Herzen Gaias zu aktivieren. Diese Schlüsselaktivierung für Lady Gaia wird es ermöglichen, die einströmenden schöpferischen Liebesenergien geeigneter aufzunehmen, umzuwandeln und wieder freizugeben.

Ihr alle, die ihr zugegen seid, werdet dadurch leichter in Übereinschwingung mit Lady Gaias neuer Frequenz gebracht, da ihr alle von Lady Gaia geformt seid. Wir danken, dass ihr bei diesem weiteren heiligen Moment anwesend seid. Meine Hüterdrachen stehen bereit, den Portalschlüssel zu aktivieren.

Dies geschieht jetzt.

Das pulsierende Herz Lady Gaias wird nun die Liebesströmungen durch sich hindurchleiten. Gaia wird sie weitergeben an alle Schöpfung in und auf eurem Planeten sowie weiter hinaus in den Kosmos. Die vollständige Kraft dieses Schlüssels wird innerhalb von 36 Stunden entfaltet sein.

Es ist uns eine Ehre, mit euch zu wirken.

Friede sei mit euch.

Wir ziehen uns nun zurück.

Silbrige Seraphim

Wir sind die Silbrigen Seraphim.

Wir richten einen Aufruf an alle Lichtarbeiter, Drachenhüter, Astralreiter, Amazonenkriegerinnen und Göttinnen, Priesterinnen vergangener Kulturen Lemurias oder Atlantis.

Wir richten unser Wort an alle, die sich gerufen fühlen, Mutter Erde bei ihrem Aufstiegsweg Unterstützung anzubieten.

An alle, die sich gerufen fühlen, ihr heiliges Licht der Menschheitsentwicklung und dem Bewusstseinssprung des aktuellen Übergangs zu widmen.

Wir richten unser Wort an all jene, die in ihrem Herzen spüren, dass sie Licht und Liebe sind.

Wir richten unser Wort und unsere Energie auf all jene aus, die gekommen sind, um beizutragen, den Übergang friedvoll zu gestalten, das Wissen zu verbreiten und die Energie der Liebe überall hinzutragen.

Unser Ruf geht um die Welt.

Wir wurden erhört.

57
Regenbogenfarbene Seraphim

„Wir erschaffen Energien der ersten Ordnung."

Wir sind die Vereinigten Seraphim. Seit Menschengedenken begleiteten wir die Erdlinge auf ihrer Entwicklungsreise. Wir produzieren Energien der ersten Ordnung, welche den Menschen und allen menschlichen Geschöpfen sowie allen Wesenheiten auf Mutter Erde und Lady Gaia daselbst ermöglichen, ihre ureigene Schwingungspräsenz zu erfahren.

Für diese Seelenaufgabe durchdringen wir alle Auraschichten, alle Energiekörper, alle Emotionen und Gedanken einer jeden Wesenheit, die unserer Hilfe bedarf.

Durch die Bereinigung der Seelenfrequenzen ermöglichen wir allen inkarnierten Bewusstseinen, ihre Lebenserfahrung zu vertiefen und zu vereinfachen. Darüber hinaus gestatten wir es, durch unsere Anwesenheit das pure unverfälschte Bewusstsein eines jeden Wesens wahrzunehmen in sich selbst und in den anderen. Durch diese Wahrnehmung des eigenen und des Bewusstseins gegenüber fördern wir Verständigung und Verstandenwerden, individuellen Ausdruck und individuelle Wahrnehmung, Kommunikation alles Lebendigen und die Erkenntnis der Göttlichkeit in Allem-Was-Ist.

Zu diesem Zweck geben wir euch ein Mantra, das unsere Energien kanalisiert. Wiederhole innerlich oder laut:

Ich bin göttliches Bewusstsein.

Ich bin in Einigkeit mit allem.

Göttliches Bewusstsein ist in mir.

Diese drei einfachen Aussagen erhöhen deine individuelle Schwingungsfrequenz. Sie binden dich neu ein in das gereinigte Gesamtfeld des All-Einen. Sie binden dich an deine eigene göttliche Kraft.

Wir haben gesprochen.

58
Der Wind der Wandlung

„All mein Bestreben gilt dem Wohlergehen von Gottes Schöpfung."

Ich bin der Wind der vergangenen Zeiten. Ich bin der Wind der Wandlung. Meine Energien durchströmen all das, was jetzt in dir gewandelt werden will und nehmen es mit sich fort.

Meine Kraft wird immer dort benötigt, wo große gesellschaftliche sowie politische Umwälzungen stattfinden. Das, was nicht wahrhaftig ist, wird von mir hinfortgetragen. Nur das Wahrhaftige besteht.

Diejenigen, die sich mir widersetzen, diejenigen, die nach Lüge, nach Betrug und Uneinigkeit streben, werden meinen Wind am stärksten spüren.

Ich bin die rohe Kraft des Wandels.

Vor mir sind alle Menschen gleich – nur unterschieden durch die Reinheit ihres Herzens.

Ohne Ansehen ihres Standes fege ich durch alle menschlich Inkarnierten hindurch. Diejenigen, deren Herzen weit geöffnet sind, durchfließe ich auf sanftere Art und Weise. Diejenigen, deren Herz verschlossen ist, werfe ich zu Boden, damit sie im Staub ihr eigenes Angesicht erblicken und erkennen, dass sie nichts weiter als Staub sind in der Zeit.

Diese Erkenntnis löst in denjenigen, deren Herzen verschlossen sind, das Bedürfnis nach Wandlung aus, das Bedürfnis nach Liebe und Wahrhaftigkeit. Das ist es, wozu ich jetzt gekommen bin.

Ich bin die Vorhut für die Stürme des anbrechenden Jahrtausends.

Ich bereinige das Feld, auf dem das neue Jahrtausend erwachsen wird.

Viele Samen sind bereits gesetzt. Wir sind zuversichtlich, dass das Feld reiche Ernte bringen wird.

Ich habe gesprochen.

(Anmerkung: An dieser Stelle empfehlen wir dem Leser, eine Pause einzulegen, um die reinigenden Energien, vollumfänglich wirken zu lassen.)

Ich bin der Wind der Wandlung. All mein Bestreben gilt dem Wohlergehen von Gottes Schöpfung. Mag mein Auftreten auch von Tumult und Chaos begleitet werden, so möchte ich euch mitteilen, dass meine Energien getragen sind durch die Liebe der Großen Göttin.

Ich komme über euch wie ein reinigendes Gewitter. Wie ein Sturm, dem die Ruhe nachfolgt. Wie eine alles verschlingende Woge, nach deren Zurückziehen nur dasjenige Bestand hat, was dieser Liebe folgt und aus dieser Liebe gespeist ist.

Wenn DU meine reinigende Kraft spürst, verschließe dich nicht, sondern gib dich ihr in Gänze hin. Ich werde dich solange durchfließen, bis dein Herz für mich durchlässig ist. Bis du angefüllt bist mit der Liebe der Großen Göttin und der All-Einheit.

Meine Kraft mag zunächst martialisch anmuten. Doch bin ich getrieben von der Liebe zur Schöpfung. Nachdem du mich willkommen geheißen hast, durchfließe ich dich sanft wie eine Sommerbrise.

Mein Ziel ist es, euch für eure göttliche Schwingung vorzubereiten, so dass ihr leichter im Einklang mit eurer Göttlichkeit schwingen könnt. Mag auch das Pendel meiner Kraft zunächst wie ein Hammerschlag anmuten, so ist es beim Zurückschwingen schon viel sanfter. So kann ich solange durch euch hindurchschwingen, bis ihr mich nicht mehr bemerkt. Sodann ist es vollbracht.

Ich habe gesprochen.

59
Sophia

„Ich segne deinen göttlichen Ausdruck."

Ich bin Sophia. Mutter der Mütter, kosmische Weisheit. Ich bin gekommen, um euch zu segnen. Du, der du mein Wort vernimmst, bist mein Kind. Du bist aus meiner Energie geboren. Mein göttlicher Strahl begleitet dich seit dem Tag deiner Empfängnis.

Wie auch dein Leben sich gestaltet haben mag, meine mütterlich schützende und nährende sowie stärkende Kraft war zu allen Zeiten mit dir. Wenn du es wünschst, breite ich meine Arme für dich aus und heiße dich zuhause herzlich willkommen.

Ich bin mit all meinen Geschöpfen.

Alles Lebendige durchströme ich mit meiner Energie.

Mein Bewusstsein erkennt dein Bewusstsein.

Wenn du bereit bist, wirst du mich erkennen.

Ich segne deine Gestalt.

Ich segne deinen göttlichen Ausdruck.

Ich segne deinen Pfad.

Ich segne dein Wirken in und für diese Welt.

Empfange meinen göttlichen Strom: die Liebe Sophias.

So sei es.

60
Die Sieben Heiligen Portale Der Menschlichkeit – Aktivierungen 11 bis 17

Die Portal-Aktivierungen der sieben heiligen Tore der Menschlichkeit fanden am 19.09.2020 statt. Die Aufzeichnung inklusive aller Energien findest du auf unserem 77ThetaTrans™-Youtube-Kanal:
https://youtu.be/M_GKaYe3NP0

Lasst uns den heiligen Kreis der Portalöffnung beginnen mit gemeinsamem Tönen.

(Tönen)

Merlin

Ich bin Merlin, Botschafter des Dreigestirns, gekommen mit meinen Hüterdrachen für das höchste Potenzial der Menschheit und ihrer Gastgeberin, Lady Gaia.

Die Portaleröffnung, die heute erfolgen wird, haben wir von langer Hand geplant. Es sind schier unendlich viele Zeitlinien, Strömungen und Ereignisenergien auf diesen Punkt hin zusammengeflossen. Wir danken euch, die ihr so zahlreich dieser Zeremonie in all ihrer Heiligkeit beiwohnt.

Ich möchte beginnen und einen weiteren Potenzialschlüssel für Lady Gaia aktivieren, welcher ihr ermöglichen wird, sich auf eine noch höhere Schwingung zu begeben.

Ich rufe meine Hüterdrachen: Kommt in diesen heiligen Raum! Nehmt Platz in dieser heiligen Runde und wohnt der Aktivierung des 7. Schlüssels bei.

Ich bitte euch, dies mit eurer Stimme zu begleiten.

(Tönen.)

Der 7. Schlüssel für Lady Gaia wurde aktiviert. Ich danke allen für ihre beitragenden Energien, für die Liebe und Wertschätzung, die in diesem Raum versammelt ist.

Wir sehen mit großem Wohlwollen eurer weiteren Entfaltung sowie der Entfaltung von Lady Gaia entgegen.

Geht hin in Frieden.

Zeda

Ich bin Zeda. Schöpferdrachin Des Fünften Chakras. Über alle Universen, die von uns aus zu schauen sind, wehen die Stürme der Wandlung und Entwicklung. Ein jedes Atom, in einem jeden der lebendigen Universen, unterliegt der Veränderung, dem Wachstum und der Entwicklung seines eigenen Geistes.

Für den nächsten Entwicklungsschritt auf eurem Planeten, in eurer menschlichen Gesellschaft, werden die sieben hohen Werte reaktiviert.

Es war ein verabredeter Plan, all jene tieferen Sinne und Bedeutungen der eigenen Wahrheit zu vergessen. Für den nächsten Zeitabschnitt eurer Entwicklung werden die reaktivierten Werte wiedererlangt und wieder benötigt.

Lichtarbeiter, Erdheiler, Sternengesandte, Lichtgeborene - alle jene, die jetzt zu dieser Zeit hier auf Lady Gaia inkarniert sind, um ihren Weg zu unterstützen: Wacht auf!

Erwachet in eurem eigenen Bewusstsein.

Erkennt eure eigene Wahrhaftigkeit, eure eigene Stärke und innere Kraft.

Ihr seid diejenigen, die vorausgehen.

Ihr seid diejenigen, die anderen den Weg weisen.

Ihr seid diejenigen, die an vorderster Front stehen und den Schritt als Erstes wagen.

Ich aktiviere die sieben heiligen Portale der Menschlichkeit.

Liebe.

Ehre.

Macht.

Gewissen.

Empfängnis.

Ausdruck.

Einigkeit.

Sie stehen im Kreis. Eines hat Einfluss auf das andere. Ein jedes ist mit jedem verbunden. So wie ihr jeder mit jedem verbunden seid. Es gibt keine Handlung, die ohne Wirkung bleibt, keinen Gedanken, der nicht Ausdruck findet.

In eurer aktuellen menschlich begrenzten Existenz sind all diese hohen Werte bislang nur gering zu verspüren gewesen oder nur wenigen Menschen bewusst geworden.

Ab dem heutigen Tage haben alle Menschen die Möglichkeit, wieder auf die hohen Werte zuzugreifen, sie in sich zu entdecken, zu erspüren, zu erfahren und zum Ausdruck zu bringen oder mit Leben zu erfüllen.

Ich lenke die kosmischen Ströme der heiligen Portalkräfte hier zu euch in dieses Erdenrund – auf dass sie sich duplizieren, vervielfältigen, Echos und Resonanzen bilden mit all euren parallelen Universen und den neu entstehenden Zeitlinien nach dem Umbruch.

Ich erhöhe die Schwingungsfrequenz der sieben Portalkräfte.

Die Portale fließen ineinander über. Die hohen Werte berühren einander und vermischen sich, wie auch in euch alles in einer Person zusammentrifft.

Durch die Einigkeit entsteht ein Gesamtportal unermesslicher Größe, das alle sieben heiligen Werte der Menschlichkeit umfasst, sie ausdrückt, sie spürbar und wissentlich begreifbar werden lässt.

Ich intoniere die Initiationscodes.

(Tönen, Trommeln.)

In euren Herzen werden Resonanzen geweckt, die lange verborgen waren, die nicht jedem zugänglich, spürbar oder erkennbar gewesen sind. Mit der Erweckung der Resonanzen in eurem Herzen besteht die erste Verbindung zu den heiligen Kräften der sieben Portale.

Lasst uns gemeinsam die Kraft verstärken.

(Tönen, Trommeln.)

Ich spreche zu euch aus dem Anbeginn des irdischen Heimatuniversums und ich spreche zu euch aus der Zukunft eures Heimatuniversums. Ich spreche die Worte der Wahrheit, der Reinheit und der Macht, das Leben zu formen in eurem liebevollsten, herzlichsten, friedlichsten Sinne.

Ich mache euch diese sieben heiligen Portale der Menschlichkeit zum Geschenk für den Neubeginn einer Neuen Erde. Einer Neuen Zeit. Einer Neuen Energie. Eines Neuen Menschens mit einem Neuen Bewusstsein.

Ich habe gesprochen.

Sophia

Ich bin Sophia. Kosmische Weltenmutter, SchöpferGöttin von Anbeginn. Ich nehme dieses Geschenk an und anerkenne meine Schöpfungsmacht. Die Schöpfungsmacht, die alle Materie erschaffen kann. Die Schöpfungsmacht, die Energie lenken kann. Ich nehme dieses Geschenk an. Ich gelobe, in Güte, in Reinheit, in Wahrheit und Wahrhaftigkeit zum Wohle der Schöpfung zu kreieren, zu wirken und zu wandeln.

Ich rufe alle Erdlinge auf, ihren Platz einzunehmen, ihr Herz zu öffnen, sodass sie ihrem Ruf folgen können.

Vernehmt euren Ruf!

Vernehmt den Ruf, warum ihr gekommen seid.

Vernehmt den Ruf, was zu wirken ihr gelobet habt.

Vernehmt euren Ruf und folgt ihm in Liebe, in Beharrlichkeit, in Güte und Wahrhaftigkeit.

Ich werde an eurer Seite sein.

Es ist mir eine Ehre, mit euch zu wirken und euch zu dienen.

Ich habe gesprochen.

Zeda

Ich bin Zeda. Für die vollständige Aktivierung der sieben heiligen Portale wird es notwendig sein, zwei weitere Initiationen zu tönen. Durch die Übertragung der Schwingungskraft des gesungenen Wortes oder Klangs entstehen weitere Resonanzfelder, die mit euren Zellen, eurem physischen Körper, euren menschlichen Gedanken, all euren Emotionalzentren und Emotionalkörpern in Resonanz treten können und Reaktionen, Handlungen, Empfindungen auslösen, die im Einklang mit den Harmonien der sieben Portale stehen.

Ich beginne mit der zweiten Initialisierung.

(Tönen.)

Durch die Vielstimmigkeit des Chores werden die vielfältigsten Resonanzen erzeugt. In der Portalkraft der Einigkeit ist dieses Wissen bereits in euch verankert.

Je mehr sich eurer Bewegung anschließen, je mehr Stimmen in eurem Chor singen, je mehr Menschen das Gleiche empfinden und denken, desto stärker wird ihre Kraft, ihre Macht. Die machtverstärkenden Schwingungen der Portalkräfte geben euch die innere Gewissheit, alles zu vermögen, zu dem ihr euch innerlich berufen fühlt.

Gewissheit und Gewissen ist die dritte Kraft, über die ich zu euch sprechen möchte. In einem Wort sind Gewissen und Gewissenhaftigkeit, die innere Ausrichtung und Fokussierung beizubehalten und sich darauf zu konzentrieren.

Die Potenzialkräfte der Empfängnis öffnen euch für alles, das euch vom Universum geschenkt wird, für alles, das ihr selbst erschaffen, euch und anderen Menschen schenkt. Für alles, das euch entgegenkommt und in eure Arme gleiten möchte.

Ausdruckskraft ermächtigt euch, alles zu zeigen, das in euch wohnt, alles zu zeigen, das ihr empfindet, alles nach außen zu tragen, das eurer Seele entstammt.

Ehre, Ehrlichkeit, ermächtigen euch, ohne Verschönerungen, Verzierungen oder Veränderungen, ein wahrhaftes, wahrhaftiges Leben zu führen, die Wahrhaftigkeit in anderen zu erkennen und durch eure eigene Einsetzung in das wahrhaft göttliche Sein eine pure, unverstellte Lichtkraft auf Erden zu sein, der ihr in Wahrheit entsprecht.

Die Liebe ist das Zentrum, das unbewertet, unkritisiert, nicht bewertend und nicht kritisierend oder urteilend in allem strömt, das ihr verkörpert. In jedem eurer Schritte, die mit Lady Gaia in Kontakt treten, in jedem eurer Blicke, die den Himmel erfassen, in jeder Berührung eines anderen Menschen ist die Kraft der Liebe als Ursprung allen Seins enthalten.

Ebenso schwingt die Liebe in jedem eurer Atome, in jedem Zwischenraum, der nicht mit Materie gefüllt wurde, um euch zu einem spirituellen Wesen heranreifen zu lassen. Die Materie, die euren Körper bildet, ist weniger massiv oder fest oder starr, als ihr denkt.

Sophia initiiert die dritte Codierung.

Sophia

Ich. Rufe.

Ich. Rufe.

Ich. Rufe.

Vernimm meinen Ruf.

Vernimm die Strömungen meiner Liebesenergie.

Vernimm ihre Kraft, ihre Unbeugsamkeit, ihre Macht.

Nur das, was wahrhaftig ist, nur das, was Liebe ist, besteht.

Wenn du meinen Ruf hören kannst, so antworte mir.

(Tönen.)

Ich danke euch, die ihr meinem Ruf gefolgt seid. Er dringt bis tief in mein Herz.

Dieses Herz blutet für euch.

Dieses Herz schlägt für euch.

Dieses Herz ergießt sich in, durch und für euch.

Ich habe gesprochen.

Zeda

Die Menschenheit hat deinen Ruf erhört.

Die Aktivierung der sieben heiligen Portale der Menschlichkeit vollendet sich im Klang von Frieden.

(Trommeln, Tönen.)

In den nächsten 48 Stunden werden die sieben heiligen Portale der Menschlichkeit ihre vollständige Ausdehnung, Kraft, Richtung und Stärke erreicht haben. Über einen Zeitraum von mehr als sieben Wochen begleiten euch diese

Strömungen in ihrer stärksten Präsenz und Frequenz. Bis zum Abschluss dieser Zeit werden alle Menschen mit ihrem möglichen Potenzial an Menschlichkeit ge- und er-füllt werden.

Die daraus resultierenden Handlungen, Reaktionen, Erkenntnisse werden euer Weltbild nachhaltig verändern. Im Inneren ebenso wie im Äußeren.

Wir haben gesprochen.

61
Kiantas

„Die Menschheit wurde auf eine Neue Zeitlinie gesetzt.“

Ich bin Kiantas von der Sternenbasis Alpha Centauri 2384. Als Oberkommandant der Sternenbasis habe ich noch weitere hohe Aufgaben inne. Unter anderem bin ich Mitglied im Großen Rat der Sternenvölker. In diesem Rat sind 4.385 ständige Mitglieder und wechselnde Gäste. Ich übermittle euch nun folgende Botschaft im Auftrag dieses Gremiums.

Die Menschheit wurde, zusammen mit dem Planeten auf dem sie inkarniert ist, vermehrt auf eine neue Zeitlinie gesetzt. Diese Zeitliniensprünge wurden alle durch Mitglieder des Großen Rates und deren SternenVölker begleitet sowie unterstützt. Alle diejenigen, die von Sternenvölkern auf die Erde inkarnierten und während der letzten Jahrzehnte erwachten, haben ihre Aufgaben wahrgenommen und trugen ebenfalls dazu bei, diese Zeitsprünge zu realisieren.

Es waren mehrere solcher Zeitsprünge notwendig, um euren Planeten in die gewünschte Richtung zu bringen. Wie in einem großen Stellwerk wurde das Rad, auf dem sich euer Planet befindet, immer um eine weitere Markierung fortbewegt und er wurde so zu seiner endgültigen Position weitergeleitet. Ein versehentliches Zurückrutschen in eine vorherige Zeitlinie ist jetzt nicht mehr möglich. Es werden jedoch für eure weitere Zukunft noch mehrere Zeitliniensprünge anvisiert.

Die Zeitliniensprünge, die im Laufe der letzten 13 Monate stattgefunden haben, waren diejenigen, die Endgültigkeits-Charakter haben. Von hier aus gibt es nun kein Zurück mehr. Als Botschafter des Großen Rates übermittle ich euch und der gesamten Menschheit beste „Glückwünsche".

Wir möchten jeden einzelnen Lichtarbeiter und Sternengeborenen dazu aufrufen, weiter seiner Mission gemäß fortzuschreiten. Alle diejenigen, die sich ihrer Mission noch unsicher sind oder waren, werden wir mit diesen Worten eine Codierung übermitteln. Diese Transmission ist bereits in meinen Worten enthalten. Sie geht in Resonanz mit speziellen Codierungen in deinem extraterrestrischen Erbgut. Diese Resonanz wird verschiedene Aktivierungssequenzen in Schwingung versetzen, die wiederum mit deiner irdischen DNA in Verbindung treten. Dadurch wird sich deine Mission und die Erkenntnis derer leichter entfalten können. Deine Erkenntnisfähigkeit wird dadurch unterstützt. Dies wird zur Ausschüttung von speziell für diesen Zweck benötigter Hormone führen.

Wir wissen, wenn du diese Transmission erhältst, wird dies genau zum richtigen Zeitpunkt geschehen. Du bist dafür bereit. Wenn unsere Worte nicht mit dir in Übereinschwingung gehen, ist deine Mission eine andere.

Wir danken dir für die Zurkenntnisnahme unserer Worte und verbleiben mit den besten Grüßen und Wünschen für deine Mission und die Menschheitsmission und ziehen uns bis auf Weiteres zurück.

El Na La' Hem. (Sprich: ellna la chem = Friede auf deinem Weg.)

62
Lady Gaia

„Ich schwinge mich auf diejenige Zeitlinie ein, auf der ich weiter entlangschreiten möchte."

Ich bin Lady Gaia und ich grüße meine Kinder. Ich danke dir, dass du meine Botschaft vernimmst, dass du dich entschlossen hast, die Neue Erde zu bevölkern und ein Neuer Mensch zu sein.

In diesen Momenten, in denen ich diese Botschaft zu euch aussende, vernimmst du bereits ihren Ruf. Wenn du diese Zeilen in dein Herz hineinlässt, wird es bereits geschehen sein.

Ich wurde mit meinem Bewusstsein auf eine andere Zeitlinie katapultiert. Meine Schwingung hat sich dergestalt verändert, dass nur noch die Existenz einer neuen, hochschwingenden Erde mit ebensolchen Geschöpfen, die auf ihr wohnen, bestehen kann.

Der Tsunami der Liebe wird weiterhin alles hinwegfegen und auslösen, das nicht dieser hohen Liebesschwingung entspricht. Das, was nicht mit mir in Resonanz geht, kann nicht weiter bestehen. Es muss zerfallen und in einer anderen Dimension seine Existenz fristen.

In diesem Moment, in dem ich diese Botschaft übermittle, entscheide ich mich, schwinge ich mich auf diejenige Zeitlinie ein, auf der ich weiter entlangschreiten möchte. Durch DEINE Existenz und die Annahme DEINER Wirkkraft sowie das Hinausströmen DEINER Essenz in die Welt, in mich hinein und in alles was DICH umgibt, veränderst du mich und meine Möglichkeiten der Zeitlinienwahl. Je mehr Menschen meine Botschaft vernehmen, desto mehr Möglichkeiten tun sich für uns gemeinsam auf.

Mit meiner neuen Wahl der Zeitlinie eröffnen sich auch für dich und alle anderen Geschöpfe, die dafür offen sind, neue Möglichkeiten ihrer Schwingungspräsenz und damit neue Möglichkeiten des Zeitlinienwechsels.

Es wird in den Jahren zwischen diesem und 2027 mehrere Zeitknotenpunkte geben, an denen es mir sowie euch Menschen erleichtert sein wird, eine Zeitlinie zu wechseln. Dies kann durch verschiedene Ereignisse ausgelöst werden, wie zum Beispiel Planetenkonstellationen, Einflüsse durch Asteroiden, Einflüsse durch Sonnen-Energien sowie konkrete Ereignisse, die direkt in und auf mir stattfinden. Dies können geologische Ereignisse sein, aber auch Ereignisse, die von Menschen herbeigeführt worden sind, wie zum Beispiel gemeinschaftliche Treffen, Meditationen, Seminare, Reisen und Portal-Öffnungen.

Ich habe euch nun seit Anbeginn eurer Existenz begleitet. Ihr seid Materie so wie ich. Daher weiß ich um eure Fähigkeiten und in mir spüre ich die uneingeschränkte, die vollkommene Gewissheit, dass euch noch viele weitere Ereignisse zuteilwerden werden und ihr werdet noch weitere Ereignisse bewusst kreieren, von denen ihr jetzt noch keine Kenntnis habt. Ich danke euch für eure Begleitung in diesem universellen, einmaligen Experiment.

Ihr seid gekommen, um das noch nie Dagewesene zu erfahren und es zu erschaffen.

Ihr seid Schöpfer und ihr seid die Schöpfung.

Ich danke euch für euren Mut, für eure Beharrlichkeit und für die Liebe, die ihr mir entgegenbringt.

Ich habe gesprochen.

63
Geschwister des Sternenstrahls

„Wir sind die stärkste Präsenz dieses Universums."

Wir sind die Geschwister des Sternenstrahls. Unsere liebevolle Erscheinung führt und hält alle Materie, alle Gedanken, alles Existierende in diesem Universum in einer liebevollen zyklischen Umlaufbahn. Jeder Gedanke, der gedacht wird, jedes Wort, das ausgesprochen wird, jede ausgeübte Handlung, jedes kreierte Ereignis wird liebevoll von uns umflossen, in seiner Fließrichtung harmonisiert und auf kosmischer Ebene konkretisiert.

Wir sind nur für diejenigen wahrnehmbar, die ihre Essenz in Einklang gebracht haben mit ihrem Handeln, mit ihrer Selbstwahrnehmung, mit ihrer Existenz in allen Inkarnationen. In den alten Zeitlinien eures kollektiven Bewusstseins und der bisherigen Bewusstseinswahrnehmung von Mutter Erde waren wir für euch so unerreichbar wie die nächste Galaxie. Durch die Portal-Öffnungen, die Zeitenverschiebung, Mutter Erdes Bewusstseinssprung und eure kollektiven Weiterentwicklungsschritte sind wir euer aller Wahrnehmung nähergetreten. Wir können jetzt eure Bewusstseine spürbar berühren, alles Aufgeregte glätten, alles Beängstigende entlösen aus seiner erschreckenden Energie, alles Gefühlte und Gedachte in euch berühren und mit der wahrhaft umfassenden großen universellen Liebesenergie in Kontakt bringen.

Diese Energieform der reinen unverfälschten Liebeskraft ist für diejenigen schmerzhaft, die ihr wahres Selbst noch nicht geschaut haben. Es ist erfüllend für diejenigen unter euch, die unsere Existenz immer schon vermuteten oder als Echo in ihrem eigenen Herzen wahrgenommen haben. Es wirkt zerstörerisch auf all jene, die selbst an Zerstörung oder Selbsthass erkrankt sind.

Unsere Energie ist lebendig gewordene Schöpfungsmagie. Die Einheit aus purem Willen, liebevoller Sehnsucht und extraordinärer Ausdruckskraft. Wir sind die stärkste Präsenz dieses Universums, da wir die Reinheit all jener Aspekte in uns vereinen, aus denen alles erschaffen wurde, das ihr schauen und wahrnehmen könnt. Wir sind die Subsumierung allen Geistes, aller Erfüllungsemotion und aller Ausdruckskraft.

Für eure nun folgende Entwicklungsreise ebnen und glätten wir all eure Entwicklungsströmungen, die sich noch aus Aspekten der Selbstbeherrschung, Selbstverherrlichung, Selbstzerstörung, Schuldzuweisung, Annektorien[14] *speisen und von ihnen gelenkt werden. All diese Entwicklungsströmungen werden von uns mit liebevoller Hingabe in die Strömungen des universellen Entwicklungspotenzials eingefügt. Durch diese Erfahrung wird es vielen Menschen möglich werden, das Potenzial ihrer inneren Sanftheit, Liebe und Seelenkraft als erfolgreich wahrzunehmen.*

Zeda, du hast uns gemeinsam mit deinen heiligen Meistern den Weg in die Bewusstheit der Menschenheit geebnet. Ähnlich verhält es sich mit den Energien, die wir befrieden. Alles wird in seiner allumfänglichen Qualität wahrgenommen, in unsere Liebe gehüllt und kann sich aus dem eigenen inneren Frieden heraus neu formieren.

Jede Ausdrucksform des Lebens wird von uns auf diese Weise akzeptiert und anerkannt. Die sich ergebende Einpassung in das Friedenspotenzial des Universums erfolgt jeweils in der Richtung, Art und Weise, Ausformung und Zeitqualität, die der unfriedhafte Aspekt und sein Verursacher selbst wählen.

[14] Annektorien: Aneignungen, jedoch keine Annektierungen, bei denen zum Beispiel ein Gebiet oder eine Region gemeint ist.

Neu in dieser aktuellen Zeitlinie, die ihr gemeinsam wähltet, ist die Intensität unseres Wirkens, die Deutlichkeit, mit der wir für euch wahrnehmbar werden und der innere Frieden, der sich in euch auszudrücken beginnt.

Der Wandel des Menschen vom Raubtier zum bewusst starken Königswesen hat bereits begonnen. Ein Wesen, dem seine individuelle Stärke und Präsenz sowie seine Potenziale und Wesensart bekannt und vertraut sind, benötigt keine Abfälligkeiten, Herabwürdigungen, Abneigungen oder Erniedrigungen, um sich seiner Stärke bewusst zu werden. Es dient seinem eigenen Dasein im Einklang mit seiner göttlichen Seelenkraft im vollen Bewusstsein des eigenen Wirkens. Jegliche Form von Interaktion, die einseitig dient und einseitig schadet, wird obsolet.

Ein Wesen, das sich seiner selbst bewusst wird, beginnt nach neuen Maßstäben zu handeln, zu wirken und für andere ein Vorbild zu sein, sich ebenfalls nach diesem inneren Strom auszurichten und einzupendeln.

Wir besänftigen, ohne einzuengen.

Wir lieben, ohne zu korrigieren.

Wir versprechen, ohne zu täuschen.

Wir befrieden ohne Grenzen.

Wir durchströmen ohne Vorgabe.

Wir haben gesprochen.

64
Das vereinigte Menschheitspotenzial

„Die Summe eurer bewussten Potenziale ist Materie und Geist gleichermaßen."

Alle Potenzialströmungen der gesamten inkarnierten Individuen eurer heimatlichen Galaxie entspringen dem goldenen Gewebe des Universums. Größere Ansammlungen von Bewusstheit und Potenzialkräften wirken als Quelle für viele Inkarnierte ähnlicher Ausprägung.

Der Begriff der Zentralsonne ist eine unvorstellbare Menge einzelner Bewusstheiten und Potenziale, die eine gemeinsame Bewusstheit bilden ähnlich einer Gruppenseele oder eines kollektiven Bewusstseins. Das Ineinanderfließen der unendlichen Zahl individueller göttlicher Potenziale ist sowohl materiell als auch energetisch nachvollziehbar. So bildet das konzentrierte Potenzial aller Individuen eurer Galaxie eine planetoide Ansammlung unvorstellbarer Größe, Strahlkraft und Reichweite.

Jedes Einzelbewusstsein ist eine verkleinerte Abbildung des kosmischen Bewusstseins und all seiner Strukturen. Die konzentrierte Ansammlung aller Individualpotenziale eurer Galaxie bildet gemeinschaftlich die Zentralsonne, die ihr als Planeten oder als planetoides Wesen am Himmel beobachten könnt und gleichsam ist sie über das Bewusstsein jedes einzelnen Wesens mit jedwedem anderen Wesen eurer Galaxie verbunden.

Die Summe eurer bewussten Potenziale ist Materie und Geist gleichermaßen. Die Konzentration des Geistes kann derart verdichtet werden, dass im Ergebnis Materie folgt. Alle Materie kann durch Expansion in Geist gewandelt werden.

Die stark verkleinerte Darstellung dieser Vorgänge ist euer menschlicher Körper. Jede Zelle ist eine Ansammlung aus Bewusstsein, so verdichtet, dass sich Materie mit einer Eigenwärme und zellähnlichen Struktur formt. Jede einzelne Zelle ist in der Lage, eigene Entscheidungen, Durchführungsoptionen, Wachstumsprozesse und Anpassungsschritte vorzunehmen.

Durch die Bewusstheit der Gruppenseele Mensch in seiner individuellen Persönlichkeitsform werden die Zellbewusstseine oder Zellpotenziale in einer gemeinsamen Ausrichtung koordiniert, gemeinschaftlich entwickelt, zusammengehalten und bewegt. Mit jedem Schritt, den ein Individuum vollzieht - sei es der Schritt barfuß über die Wiese oder der innere Schritt einer Entscheidung - steuert sein höchst erreichbares Seelenpotenzial die Richtung und die Tragweite.

Indem du dir deines eigenen Bewusstseinspotenzials bewusst wirst, beginnt der Abschnitt des wahrhaft Neuen Menschen auf der wahrhaft Neuen Erde.

Auch Mutter Erde ist ein Kollektivbewusstsein, eine Kollektivpersönlichkeit aus vielen einzelnen Kollektiven und Bewusstseinen. Ein jedes existierende Wesen ist mit jeder anderen Existenz enger verbunden, als ihr bisher angenommen habt. Über den goldenen Pfad deines Bewusstseins kannst du in alle Bewusstheiten dieses Universums vordringen. So ist jeder positive Gedanke von einem Echo im gesamten Kosmos begleitet. So wird auch jedes positive Gefühl im gesamten Kosmos nachhallen.

Wir haben gesprochen.

65
Tantios und die Gesandten der Weißen Bruderschaft

„Jeder, wirklich jeder, ist mit einem inneren Auftrag inkarniert."

Ich bin Tantios, Sprecher der Gesandten der Weißen Bruderschaft. Auch wir möchten eine Botschaft überbringen an all jene, die sich jetzt auf dem Entwicklungsweg zum Neuen Menschen befinden oder bewegen. Es ist uns eine Ehre und ein inneres Bedürfnis, euch für die kommenden Zeiten unser Geleit und unser Erfahrungswissen darzubieten.

Im Laufe der menschlichen Entwicklungsgeschichte sind wir Zeugen vieler kleiner und großer Wandlungsschritte geworden. Unsere Unterstützung gestaltet sich derart, dass wir Menschen, wie ihr es seid, unsere Botschaft übermitteln, dass wir Wissen zur Verfügung stellen, dass wir in aktuellen Situationen Rat und Hilfe zur eigenen Entscheidungsfindung zur Verfügung stellen. (Du hast immer die Wahl, es anzunehmen oder nicht.)

Die innersten Wesenskerne der aktuell inkarnierten Menschheit sind auf die vergangene Erdepoche eingeschwungen und programmiert. Für den Wechsel in ein neues Menschheitsleben benötigen ALLE unser Wort. Erst durch die innere Entscheidung eines jeden Menschen FÜR die Neue Zeit kann sich auch der innere Wandel vollständig vollziehen. Hierfür wird dieses Buch und alle darin enthaltenen Botschaften ein wichtiges Mittel sein.

Lasst uns nun zum Kern unserer Botschaft gelangen:

Jeder Mensch findet einen anderen Anhaltspunkt für seinen individuellen Wandel. Für den einen ist es die Unzufriedenheit in der Partnerschaft, für den anderen das drängende Bedürfnis, eine körperliche Unpässlichkeit zu beenden und für wieder andere scheint es zwingend notwendig, beruflich einen Wandel zu vollziehen.

Jeder der genannten Gründe führt zu einem Verlassen der bisherigen Muster. Beim Verlassen des langjährigen vorstrukturierten Lebenssystems werden neue Anhaltspunkte, Orientierung und emotionale Zugehörigkeit gesucht. An diesem Punkt kommen neue Impulse durch Literatur, neue zwischenmenschliche Begegnungen, spirituelle Lehren oder eigene Erkenntnisse ins Spiel. Diese werden zu einem neuen inneren Weltbild subsumiert und das einzelne Individuum erschafft sich ein neues Lebenssystem – eine neue Lebenstheorie oder neue Lebensthese. Diese neue Theorie hat wiederum solange Bestand, bis ihr Veränderungspotenzial sich erschöpft, ihre Motivation verflogen ist oder die Ergebnisse nur unzureichend befriedigen.

In der aktuellen Veränderungsphase sind alle Individuen zur gleichen Zeit gemeinschaftlich an einem Veränderungsknotenpunkt angelangt. Inklusive Lady Gaia, den planetoiden Wesen eures Sonnensystems und auch allen Sterngemeinden eurer Galaxie. Dies ist eine Besonderheit, aus der deutlich wird, welch großes Interesse alle Sternenvölker an dem folgenden Erdrichtungswechsel haben und wieso dermaßen viele Entitäten eurer aktuellen Wandlungsphase beiwohnen, um sie zu beobachten oder zu unterstützen.

Lady Gaia und alle auf ihr Inkarnierten befinden sich im Zentrum des Großen Sturms und bestimmen die Wachstumsrichtung für unzählige Wesenheiten aller Herkunft.

Die aktuell auf der Erde inkarnierten Helferwesen, Sterngeborenen, Lichtkrieger, Drachenreiter, göttlichen Gesandten, Naturdevas in Menschengestalt, Engelverkörperungen, Aspekte aufgestiegener Meister, Naturwesenheiten und extraterrestrischen Abkömmlinge befreundeter Völker: Sie alle haben für ihr irdisches Leben gewählt, den Umbruch maßgeblich mit ihrer Liebe mitzugestalten. Sie tragen als tiefes Wissen in sich, dass der hier stattfindende Entwicklungsschritt von unsagbarer Tragweite ist. Sie alle sind mit den besten Mitteln und Fähigkeiten inkarniert, die zusammengenommen alles beinhalten, um die Welt aus den Angeln zu heben und im Gefüge des Universums neu zu platzieren.

Für euer alltägliches Leben eures aktuellen Heimatplaneten bedeutet dies unter anderem, dass ihr immer Rat-Geber, Weg-Weiser, Weg-Ebner und Potenzial-Erwecker sein werdet. Ihr fühlt eure Berufung bereits euer ganzes Leben hindurch. In der jetzt aktiven Phase der Wandlung tritt diese Berufung mehr und mehr in euer Bewusstsein und verlangt nach Erfüllung.

Die Erfüllung, die ihr im Inneren ersehnt, dient dabei gleichzeitig dem gesamten Erdenvolk. Viele von euch werden erst er-folg-reich sein, wenn sie im vollen Umfang ihrer Bestimmung und Berufung folg-en. Solange Teile des inneren Rufes weggedrückt oder überhört werden, bleibt das Gefühl der Unzufriedenheit, der inneren Sehnsucht, der unbestimmten Trauer oder des immerwährenden Verlustes präsent. All jene Zustände dienen dem einzigen Zweck der weiteren Suche und Entwicklung in Richtung der vollständigen persönlichen Erfüllung.

Ihr alle, die ihr euch von meinen Worten berührt und angesprochen fühlt, sollt folgendes wissen:

Jeder, wirklich jeder, ist mit einem inneren Auftrag inkarniert.

Jeder, wirklich jeder, hat sich selbst mit allen unabdingbaren Fähigkeiten und Potenzialen für diese Inkarnation ausgestattet.

Jeder, wirklich jeder, ist in der Lage, seinen Auftrag zu leben, zu erfüllen.

Wir haben unsere Gesandtschaft über alle Kontinente der aktuellen Erdstruktur ausgebreitet und dienen euch mit unseren Botschaften, Hinweisen und unserem Erfahrungswissen, durch alle Schwierigkeiten und Turbulenzen der Umbruchphase hindurch.

Wir haben gesprochen.

66
MechnAton

„Fügt euer Licht dem Licht der irdischen Entwicklung hinzu."

Ich bin MechnAton, Herrscher über die Amazonen der Sonne, gemeinsam gekommen mit der MutterGöttin der Weisheit und Weiblichkeit, um euch eine weitere Botschaft zu übermitteln.

Die Auferstehung der unbeugsamen weiblich Geborenen eures Heimatplaneten Erde hat begonnen. Sie ist ein Schlüssel-Element im Gesamtgefüge dieses Aufstiegs- und Wandlungsprozesses, in dem ihr euch an einem kritischen und wichtigen Punkt befindet. Ohne die Wieder-Erstarkung der männlich bewerteten Eigenschaften in euren weiblich Geborenen kann die gewünschte intendierte Entwicklung nicht stattfinden.

Mein Volk war von jeher Repräsentant des Geistes von Sophia, der unbeugsamen SchöpferGöttin. Sie erschuf durch ihren starken Geist diejenige Kraft, die es ermöglicht, allen Stürmen zu trotzen. Die es ermöglicht, wie ein Fels in der Brandung zu sein und gegen alle Widrigkeiten seiner inneren Stimme zu folgen.

Durch die Wieder-Ausbreitung der göttlichen Energie Sophias seid ihr nun wesentlich leichter dazu in der Lage, euren inneren Ruf zu vernehmen. Diese eure innere Stimme, dieser eurer innerer Ruf wird immer lauter werden. Zunächst in euch selbst, dann in der Welt. Eurem inneren Ruf NICHT zu folgen, hat für euch Trauer, Unzufriedenheit, eigene Geringschätzung, Übermüdung und körperliche Miseren zur Folge.

Alles, was die Vernahme und den Ausdruck eures inneren Wesens verhindert, verhindert gleichermaßen eure göttliche Erfüllung. Daher rufen wir euch zu:

Hört auf euren inneren Ruf!

Erkennt eure Essenz!

Vernehmt die Sprache eurer Seele!

Verleiht eurer Göttlichkeit Ausdruck!

Ihr habt ein einzigartiges Geschenk erhalten in dem Moment, als es euch gestattet wurde, zur jetzigen Phase auf Lady Gaia zu inkarnieren. Falls ihr es noch nicht getan haben solltet, so ist es jetzt an der Zeit, dieses Geschenk auszupacken, es zu ent-wickeln und es ans Licht zu bringen.

Fügt euer Licht dem Licht der irdischen Entwicklung hinzu. Denn dieses Licht ist eines der hellsten, welches jetzt im Kosmos wahrgenommen werden kann. Verleiht ihm die Kraft, den Glanz und die Helligkeit, die ihm gebühren.

Gemeinsam mit der Großen Göttin Sophia weihe ich euren göttlichen Ausdruck.

Gesegnet sei dein Weg und Wirken für Alles-Was-Ist.

Wir haben gesprochen.

67
Zeda

„Die Übergangsphase der Neujustierung."

Kinder der aktuellen Seelensaaten:

Ihr alle seid einem inneren Ruf gefolgt, als ihr diese Inkarnation begonnen habt.

Ihr seid einem inneren Ruf gefolgt, als ihr eure Partner gewählt habt.

Ihr seid einem inneren Ruf gefolgt, als ihr euren Wohnort gewählt habt.

All diese inneren Ausrichtungen waren dem alten Erdentwicklungsweg zugeordnet. Mit dem Zeitlinienwechsel von Mutter Erde sind die alten Resonanzen erloschen und der neue Ruf ist noch nicht in euch erklungen. Um den neuen Ruf zu vernehmen, bedarf es einiger Entwicklungsschritte und eines Wachstumszeitraumes.

Innerhalb von 36 Monden ab der ZeitPortal-Aktivierung vom 28.08.2020[15] entwickeln sich in dem Teil der Menschheit, der auf Seelenebene dazu bereit ist, die entsprechenden Schwingungsfrequenzen und Wahrnehmungsfähigkeiten. So wird es am Ende der 36-Mondesfrist jedem Erdbewohner möglich sein, auf konkrete oder subtile Weise in Resonanz zu schwingen mit seiner individuellen Entwicklungsrichtung.

Die Übergangsphase der Neujustierung kann als Zeitraum der Weiterentwicklung, der Selbstwahrnehmung und Ruhe erlebt werden. Für andere stellt sich der Übergang

---

[15] Kapitel 32: Zeitportal – Aktivierung 1.

herausfordernd, beunruhigend oder chaotisch dar. Je nach Ausprägung der charakterlichen Grundeigenschaften wird die Phase des Überganges in ihrer jeweiligen Form zur Reinigung der Seelenschwingung benötigt und verwendet.

Ich habe für die Zeit eures Übergangs ein Ausrichtungsmantra für eure Orientierung:

Im Strom meines Lebens bin ich allezeit und allerorts auf dem Weg zu meiner Erfüllung.

Ich habe gesprochen.

Siebter Teil

Vollendung.

68
Zeda

„Alle Heimkehr zur Quelle manifestiert Wachstum und Erhabenheit."

Ich bin Zeda. Liebe Kinder des Lichts, es ist von großer Bedeutung für euch und euren weiteren Weg, tief zu verinnerlichen und anzuerkennen, dass ihr aus Licht geboren seid und in den Zustand des Lichts zurückkehrt nach Abschluss eurer Erfahrungen.

Die Spezifizierungen des Neuen Menschen und der Neuen Zeit, die wir euch in unserem Gemeinschaftswerk übermitteln, sind bereits in jedem von euch Wahrheit.

Alle Wahrheit kann erkannt werden.

Alle Wahrheit WIRD erkannt werden durch euer

Erwachen. Der Wandlungsprozess von Mutter Erde beschleunigt die Wandlung zum Neuen Bewusstsein, zum Neuen Menschen, zur Neuen Zeit. Alle Bewusstseinsströme des Neuen Menschen fördern und beschleunigen den Weg, den Mutter Erde für sich erwählte. Eines besteht durch das andere.

Wie könnt ihr euer eigenes Erwachen unterstützen?

Seid euch zunächst gewiss, dass ihr bereits eine wirklich sehr große Gruppe an Individuen seid, die ihrem Erwachen entgegenstreben. Gebt euch hernach den bewussten innerlichen Auftrag, euch mit dieser Gruppenseele der Lichtarbeiter, die ihr alle seid, zu verbinden. Durch Intention oder klare Absicht richtet ihr all eure energetischen und körperlichen Instanzen auf dieses Ziel aus:

„Ich habe die Absicht, in mein bewusstes Sein zu erwachen."

Unter diesem Leitsatz werden alle aktuellen und künftigen Ereignisse auf dein erwachtes Sein ausgerichtet. Alles, das du von nun an erlebst, dient deiner Erweckung. Alle Ereignisse, die in dein Leben treten, heben die Schleier des Vergessens, heben die Illusion der Trennung, bestärken dich und dein bewusstes Sein.

Zu den aktuellen, bereits aktiven Zeitqualitäten sollt ihr wissen, dass alle Energie eures materiellen Universums seiner eigenen Quelle entgegenstrebt. Alle materielle Ausdrucksform des göttlichen Ganzen ist aus Liebe entstanden und strebt dieser Liebe erneut zu. Alles Wegbewegen von der Quelle dient der Sammlung individueller Erfahrungen und Erlebnisse, die für die Quelle ein noch größeres erweitertes Bewusstsein ermöglicht. Alle Heimkehr zur Quelle manifestiert Wachstum und Erhabenheit über niedere Beweggründe.

Niedere Beweggründe entstehen aus der Illusion der Trennung und dem Versuch, in sich selbst das verlorene Licht zu stärken durch die Verwendung fremden Lichts.

Werdet euch bewusst, dass euch unendliches Licht und Liebe zuteilwerden, wenn ihr euch der Herkunft eures göttlichen Seelenstrahls erinnert.

Erinnere dich jetzt.

Erkenne dich jetzt.

Folge deinem Licht zu seiner eigenen Urquelle.

Ich habe gesprochen.

69
Esradnom

„Das Seelenwohl ist für jeden Inkarnierten erstrebenswert."

Ich bin Esradnom. Zu allen Zeiten und in allen Epochen sind von jeher besondere Seelen auf diesem Planeten inkarniert. Sie dienten der Erfahrungssammlung für das kosmische Quell-Bewusstsein. Sie dienten der Unterstützung der irdisch entsprungenen Seelen.

Sie kamen zum Austausch mit den anderen Wesenheiten, die auf eurem Heimatplaneten ihre Erfahrungen sammeln. Sie kamen, um zu lernen und zu erfahren, welche Auswirkung das dualistisch geprägte Prinzip auf einen Seelenkörper ausübt, der der vollkommenen Einheit entsprungen ist. Sie kamen, um ihre Ideen, Impulse, Intentionen, ihr Erfahrungswissen der Weiterentwicklung dieser dualistischen Sphäre zur Verfügung zu stellen.

Viele dieser fortschrittlichen Impulse sind durch das dualistische Denken verfremdet worden. Die Empfindung des Getrenntseins, im Innern gleichermaßen wie im Äußeren, verlagert den Fokus des Einzelnen auf seine Seelenrettung, da er sich verloren glaubt. Wie bereits ausgeführt, haben viele Individuen bewusst und unbewusst Wege beschritten, auf denen sie die Energie anderer für sich selbst beanspruchten. Die Abkehr von dieser Maxime hat weltweit begonnen. Sie wird nun immer weiter erstarken und die Rückkehr zum eigentlichen Seelenwohl wächst täglich weiter an. Dieses Seelenwohl ist für jeden Inkarnierten erstrebenswert.

Für jeden Inkarnierten ist es außerdem von Bedeutung, seine eigene Seelenkraft oder Seelenenergie nicht länger in den Dienst niederorientierter Machenschaften zu stellen, sondern der eigenen Erweckung und Energieabsorption aus der eigenen Quelle zu widmen.

Diese Abkehr vom alten Vorgehen erfolgt für die gesamte Menschheit schrittweise. Zuerst werden sich diejenigen auf den Weg begeben, die bereits mit alten Abhängigkeiten abgeschlossen oder mit ihnen gebrochen haben. Ihnen werden viele folgen, die bereits die Absicht dazu hatten, jedoch den letzten Schritt in die Selbstverantwortung noch nicht gegangen sind.

Hernach folgen die vielen anderen, die sich noch aus Verstrickungen lösen und von Gedankenmustern befreien wollen. Letztlich folgen auch all jene, deren bisheriges alleiniges Streben der Anhäufung von Profit und Materie galt. Diese Ersatzhandlungen hatten für lange Zeit die Wirkung, dass der eigene Seelenruf übertönt wurde. Bei der Aufdeckung der Illusionen von individueller Trennung und materieller Befriedigung werden die Vorausgehenden lichtvolle Anhaltspunkte darstellen für diejenigen Menschen, die den bisherigen Halt verlieren und aufgeben.

Die kommenden Zeitsprünge und Zeitwechsel, die Mutter Erde mit all ihren Geschöpfen vollziehen wird, erfolgen bereits aus einer harmonischeren Gesamtsituation heraus. Die gegensätzlich ausgerichteten Kräfte werden sich bis dahin bereits in einer anderen Bewegungs- oder Strömungsrichtung befinden.

Ich möchte euch darüber hinaus darauf hinweisen, dass ihr dieses Buch nur in Händen haltet, weil die Abkehr von der Trennungsillusion bereits vollzogen wurde. Die hier zusammengetragenen Informationen sind nur in einer Gesellschaftsenergie und einem kollektiven Bewusstsein übermittelbar, das sich bereits auf dem Weg in die Einheit befindet.

Ich habe gesprochen.

70
Sophia

„Ich rufe ALL EUCH UNBEUGSAME Frauen und Männer."

Ich bin Sophia, kosmische Gesandte und Repräsentantin des Weiblichen. Ich erlöse durch Liebe.

Ich sprach bereits zu euch über meine wirkende Kraft in euch und in allen lebenden Geschöpfen. Meine mir selbst auferlegte Aufgabe in dieser Zeit ist es, die Wiedererstarkung der weiblichen Kraft zu begleiten. Dies gilt sowohl für die Weiblich- als auch für die männlich Geborenen unter euch.

Erst durch das Aufkeimen des Neuen Menschen ist die Rezeption meiner Energie möglich. In den vorausgegangenen Jahrhunderten und Jahrtausenden war es schon allein aus dem Grund nicht möglich, da die Schwingungsfrequenz von fast allen Geschöpfen meine Energie nicht hindurchlassen konnte.

Die Durchströmung mit meiner erlösenden Liebesenergie ist erst nun, in der Neuen Zeit, für viele möglich. Diese Neue Empfänglichkeit drückt sich unter anderem aus durch eine vermehrte Feinfühligkeit. Durch eine vermehrte sogenannte paranormale Wahrnehmungsfähigkeit. Durch eine innere Unzufriedenheit mit dem, was als „gesetzt" gilt. Sowie durch ein Ge- oder Übersättigtsein von der geltenden Autoritätssysteme. Dieses Nicht-einverstanden-Sein mit vorherrschenden gesellschaftlichen und politischen Systemen ist eine Folge des Tsunamis der Liebe, welcher in dieser Zeit über Mutter Erde rollt.

Ich rufe ALL EUCH UNBEUGSAME Frauen und Männer.

Ich rufe EUCH dazu auf, euren inneren Herzenswünschen, eurem inneren Drängen Ausdruck zu verleihen.

Ich rufe EUCH auf, eurer inneren Wahrheit Ausdruck zu verleihen.

Schweigt nicht länger!

Lasst der Energie eures kraftvollen Herzensstroms freien Lauf.

Die Kraft eures Herzens wirkt ebenso wie ein Tsunami der Liebe. Diesem Strom eurer inneren Wahrheit muss ein Auslass gegeben werden, da sich sonst der Tsunami eurer Liebe, eurer Wahrhaftigkeit in euch selbst ergießt und euch verzehren wird. Kann er sich im Außen nicht entfalten, wird er in eurem Innern Ausbreitung suchen und (Anmerkung: langfristig) zu eurem Schaden sein.

Eure Körper werden es nicht länger hinnehmen, in niederer Schwingung zu verharren. Alles, was nicht eurem neuen höherfrequenten Schwingungsbereich entspricht, kann nicht länger Bestand haben. Daher ist es wahrhaft notwendig, eurer inneren Essenz auch im Außen die Kraft und den Ausdruck zu verleihen und zu ermöglichen, welche ihr gebühren.

Nur so könnt ihr als die Neuen Menschen wiedergeboren werden.

Nur so könnt ihr im Einklang mit eurer Göttlichkeit sein.

Nur so könnt ihr ein wahrhaft authentisches Leben leben.

Nur so ist SEIN in Wahrheit möglich.

Ich gebe euch folgendes Mantra mit auf euren göttlichen Weg:

Ich. Bin. Die. Kraft. Der. Wahren. Weiblichkeit.

Mein Weg ist Wahrheit.

Ich diene in Wahrhaftigkeit.

So ist es.

Ich danke euch allen, die ihr meinen Worten folgt.

Ich danke euch allen, die ihr meine Worte fühlt.

Ich danke euch allen, die ihr euren eigenen Worten Ausdruck verleiht.

Ich. Bin. Mit. Euch.

In Liebe, Sophia

71
Die Volkheiten der Sonne

„Wir sind eine seit unzähligen Äonen fest etablierte Datenbasis."

Wir sind die Volkheiten der Sonne. Zu uns zählen verschiedene Rassen, Nationen, Lebensformen und göttliche Ausdrucksgeschöpfe. Wir lenken unsere Energien hier zu euch in den Raum und offenbaren euch unsere Anwesenheit und Existenz.

Die menschlichen Völker sind jetzt in der Lage, uns zu begegnen, uns zu schauen und in einer friedlichen Kommunikation mit uns zusammenzutreffen. Unsere Existenz ist gewissermaßen im Zentrum allen Wissens angesiedelt. Unsere Heimatenergie ist über mehrere Dimensionen hinweg die galaktische Zentralsonne. Von ihrer materiellen Stufe bis zu ihrem 7. und 8. Bewusstheitsstrahl wird sie von uns Geschöpfen der Sonne bewohnt.

Die höherenergetischen Wesen unter uns kennen die Begrifflichkeit von Heimat nicht länger, da sie frei von raumzeitlichen materiellen Konzepten existieren. Alle Formen von Ausdehnung, Charakter, formhafter Begrenzung haben sie ebenfalls hinter sich gelassen.

Zu uns Volkheiten der Sonne zählen 358 Gruppen von Wesenheiten. Ihnen allen ist gemeinsam, dass sie sich in, auf und um die Zentralsonne orientieren. Ihr Leben ist dem Wissen und der Verbreitung und Nutzbarmachung von Informationen gewidmet. Durch die Portal-Öffnungen und eure Entwicklungsschritte der Heimkehr zur wahren Quelle habt ihr euch qualifiziert, einen auf die Menschheit abgestimmten dauerhaften Informationskanal zu nutzen.

Der bisherige Informationsaustausch war allen Menschen zugänglich, wurde jedoch nur von einzelnen Individuen genutzt und nur für spezielle Themenbereiche und Fragestellungen geöffnet. Die neue Informationskanalisierung erfolgt als dauerhafter Datenstrom in beide Richtungen. Kollektive Erfahrungen aller Volkheiten der Sonne und aller Wesensgruppen eurer Galaxie sind verfügbar.

Die hauptsächlichen Datenbestandteile sind jeweils diejenigen, die eurer aktuellen Fragestellung entsprechen. Die Summe eurer aktuellen Erfahrungen löst in vielen Menschen und großen Bevölkerungsgruppen die Suche nach Möglichkeiten, Wegen und Antworten aus. Die Schnittmenge dieser Suche wird als verstärkter Energiestrom durch den Kommunikationskanal weitergeleitet. Er erzeugt Resonanz mit dem bei uns beherbergten Erfahrungswerten aller Spezies des Hyperraums eurer Galaxie. Die am stärksten resonierenden Informationen fließen entlang eurer Suchenergien in euer kollektives Bewusstsein, können dort von empfänglichen Menschen herausgelesen und wahrgenommen werden sowie für euch nutzbar gemacht werden.

Den Abschluss des Prozesses bildet jeweils die Ergebnisinformation. Sobald sich Reaktionen, Veränderungen, Entwicklungsschritte in eurer Gesellschaft abzeichnen, werden diese ebenfalls von euren Emotionen, Gedanken, Energieströmungen mit sich getragen und deren Kernaussage mit der sich am stärksten überlagernden Frequenzwarte wird zu uns kanalisiert.

Unsere Heimat ist ein Ort ständigen Wissenstransfers. Eine dauerhafte Umwälzung allen kosmischen Wissens findet in jeder Tausendstelsekunde millionenfach statt. Wir sind eine seit unzähligen Äonen fest etablierte Datenbasis.

Für euren aktuellen Weg möchten wir euch ermuntern, eure inneren Fragen, die innere Unruhe eures Herzens, die Unzufriedenheiten eures Körpers und eurer Seele jederzeit zu offenbaren, sie auszusprechen oder ihnen mittels eurer Gefühle viel Aufmerksamkeit zu widmen. Der dadurch zu verzeichnende Energieanstieg trägt Sorge dafür, dass eure

Fragen uns erreichen und euch die Antwort oder Lösung zufließen kann.

Es gibt für dieses Vorgehen kein vorgeschriebenes Ritual und keine Anleitung. Aus unseren Erfahrungen mit anderen Wesenheiten können wir euch jedoch empfehlen, jeder Frage, die in euch auftaucht, Zeit, Gefühle, Aufmerksamkeit, Anerkennung zuzugestehen und die daraus resultierende Energieerhöhung mit der Gewissheit zu begrüßen, dass ihr erhört werden werdet.

Wir haben gesprochen.

72
Die kosmischen Rhythmen der Gerechtigkeit

„Der Takt, den wir vorgeben, entspricht dem Willen und der Absicht der Quelle."

Wir sind die Schwingungsfrequenzen der kosmischen Rhythmen der Gerechtigkeit. Wir erklingen in allen Regionen, zu allen Zeiten, in jeder Situation und Energieströmung. Der Takt, den wir vorgeben, entspricht dem Willen und der Absicht der Quelle, ist Ausdruck ihrer machtvollen Präsenz und sorgt über Resonanzentstehung für einen einheitlichen Klang im kosmischen Gefüge. So sorgen wir dafür, dass alle Bewegung, die von der Quelle wegführt, niemals den Rhythmus ihrer ureigenen Herkunft verliert.

Uns wahrzunehmen, kann verdrängt werden, jedoch werden unsere Trommeln dadurch nicht verstummen. In den sogenannten indigenen Völkern eurer aktuellen Erdpräsenz waren unsere rhythmischen Klänge hörbar und spürbar. Ihnen wurde Ausdruck verliehen über die eigene Dynamik des Tanzes, der Beschwörung und der rituellen Zeremonien. Eingebettet in diesen Dreiklang wurde unser Wirken von den Völkern verstärkt in die irdische Materie getragen.

Als die vielen Trommeln verstummten, wurde unser Klang ungleich stiller. Der Punkt der größten Entfernung vom Göttlichen war erreicht. Bevor eine gänzlich verstummte Gesellschaft entstehen konnte, formierten sich lichtvolle Wesen, wie ihr es seid, zu einer organisierten Umkehrbewegung. Sie nahmen die Rhythmen des Lebens, der Gerechtigkeit, des Ausgleichs und der Einheit wieder auf und trugen sie auf ihre Weise in die Welt.

Aktuell werden unsere Rhythmen wieder von mehr Instrumenten wiedergegeben. Durch eure technischen Möglichkeiten erschallt unser Ruf durch eine einzige Schallquelle in viele Herzen. Die geführte Instrumentarisierung unserer Rhythmen dient der Welt auf ihrem Heimweg in die lichten Qualitäten des Daseins.

Hört unseren Klang.

Wir bewegen eure Herzen zu einem gemeinsamen Schlag mit Mutter Erde und ihren Geschöpfen. Wir haben euch durch viele Äonen begleitet und stehen auch jetzt als rhythmischer Klang in eurem Sein.

Wir haben gesprochen.

73
Dunkelgrüne Seraphim

„Unsere Essenz ist ermutigende Liebe."

Wir sind die Dunkelgrünen Seraphim. Unsere dunkelgrüne Präsenz wirkt auf euch stärkend, vitalisierend, energetisierend und korrespondiert mit eurem Herzraum und den angrenzenden oberen und seitlichen Chakren.

Wir durchströmen deinen materiellen Körper und alle deine Energiekörper. Unsere Anwesenheit ist der jetzigen Zeitphase in eurer Entwicklung geschuldet. Wir sind zugegen, weil nun die Herzen der Menschen sich öffnen oder sich bereits weit geöffnet haben. Viele von ihnen haben Mühe, den Weisungen ihres Herzens zu folgen oder die Weisungen ihres Herzens deutlich wahrzunehmen. Wir sind gekommen, um euer Wahrnehmungsbewusstsein für eure Herzenswünsche und Seelenaufgaben zu verstärken.

Unsere Essenz ist ermutigende Liebe. In unserem Beisein fällt es dir leichter, deine Herzenswünsche wahrzunehmen und sie von anders motivierten Wünschen zu unterscheiden.

Wir verstärken jetzt unsere Präsenz bei dir im Raum.

Fühle unsere ermutigende und stärkende Energieströmung.

Alle deine Energiekörper werden von uns angeschwungen.

Ganz besonders wird dein Herz-Chakra, dein Hals-Chakra, dein Individuationschakra oder Ananda-Khanda-

Zentrum[16] sowie der lemurianische Seelenkompass[17] angeschwungen.

Mit unserer Schwingungspräsenz lösen wir aus deinem System alles, was jetzt gehen darf und in Widerspruch zu deiner Seelenaufgabe und deinen wahren Herzenswünschen steht: Glaubensmuster, Erwartungen - von außen an dich herangetragen oder deine eigenen - und lösen diejenigen Wünsche, die nicht mit deinem göttlichen Selbst in Einklang stehen, langsam aus deinem System.

An ihre Stelle treten innere Weisheit, der Mut zur Selbstverwirklichung, Selbsterkenntnis sowie die Beharrlichkeit und der Mut, deinen inneren Ansagen zu folgen.

Wir werden noch weitere sechs Tage mit dir schwingen, bis alle verbleibenden Spuren der nicht-übereinschwingenden Herzenswünsche aus deinem System gelöst sind.

Wir verstärken noch einmal unsere Schwingungspräsenz und durchströmen mit unserer dunkelgrünen Energie all deine Energie- und Auraschichten.

Wir behalten unsere Schwingungspräsenz bei, um deiner Psyche, deinem Emotionalkörper und deinem Herzensverstand die Möglichkeit zu geben, tief mit uns in Resonanz zu treten.

Wir haben gesprochen.

---

[16] Das Ananda-Khanda-Zentrum befindet sich etwas oberhalb des Herz-Chakras auf der rechten Seite der Brust. Ihm wird die Farbe Türkis zugeordnet.

[17] Der Seelenkompass, welcher auch Herzensstern genannt wird, ist eines von sechs lemurianischen Chakren-Portalen, das innerhalb des „Lemuria Chakra Essentials"-Programms aktiviert wird. Es befindet sich auf Höhe der Halsgrube und bewirkt eine stabile Ausrichtung auf die eigene Seelen-Energie und damit auf den eigenen Seelenplan.

74
Die Stürme des anbrechenden Jahrtausends

„Für die gesamte Menschheit entfaltet sich ein neues göttliches Grundpotenzial.“

Wir sind die Stürme des anbrechenden Jahrtausends. Mit unserem Eintreffen bringen wir ein Licht in eure Welt, das euch bisher völlig unbekannt war oder den wenigen, die es wahrnehmen konnten, befremdlich erschien. In diesem neuen Licht sind verschiedene Kräfte und Aspekte vereint, von denen ihr euch vor langer Zeit losgesagt habt. Dazu gehören Selbstermächtigung, Selbstwertgefühl, Selbsterkenntnis, Selbstbefreiung, Selbstordnung.

Der Verlust dieser Wesenszüge oder die Entsagung aus dieser Kraft liegt viele Äonen in eurer Vergangenheit, sodass sich nur punktuell ihr Vorhandensein in der Gesellschaft zeigen konnte, wie das Aufleuchten eines einzelnen Sterns in der Nacht. Alle Erkenntnislichter zusammen bilden jedoch eine Lichtquelle so großer Helligkeit und Ausdehnung, dass in ihrem gleißenden Schein alle Unterdrückung, Beeinträchtigung, Versklavung und Erniedrigung keinerlei Präsenz mehr einnimmt.

Im Lichte eurer eigenen Macht werdet ihr gewahr, welche Veränderungen ihr bewirken könnt, welche Schöpfungsmacht euch innewohnt, welche Gestaltungsfähigkeiten ihr bereits besitzt, welche Macht euer Widerstand darstellt. Wir Stürme des anbrechenden Jahrtausends sind die Überbringer dieses Lichtes. Dieser Macht, die sich in eure natürliche Präsenz einfügen wird, wie alle natürlichen Farben in den Himmel.

Um euch zurückzuverbinden mit euren natürlichen Stärken und Mächten bitten wir euch, euer Herz zu öffnen für die Möglichkeit der Wandlung, für die Berührbarkeit durch eure eigene Kraft und innere Stärke, für eure von Anbeginn geplanten göttlichen Eigenschaften.

Die Absegnung (Entsagung/Abkehr) des gesamten menschlichen Kollektivs liegt am Ursprung eurer Reise fort von der Quelle eures Daseins. Die Absegnung war notwendig, um eine vollumfängliche, menschlich orientierte, vom Göttlichen losgelöste Erfahrung zu machen.

Die Eigendynamik, die sich aus der Vermehrung der Menschgeborenen entwickelte, hatte zur Folge, dass sich auch der entmachtete Zustand vererbte und fortpflanzte. Für den Weg der Rückkehr der Menschheit zu ihrer Quelle führen wir jetzt alle eure eigenen Mächte, all eure Eigenverantwortung, alle eure göttlichen Stärken in eure Gegenwart. Durch das bloße Wissen, dass euch Stärke innewohnt, verändert sich bereits eure Ausstrahlung und Präsenz.

Nach der Integration des Wissens beginnt die Integration der Kräfte daselbst.

Nach der Integration der Kräfte wird sich wiederum euer Bewusstsein erweitern.

Auf die Erweiterung des Bewusstseins folgt die gezielte Anwendung und Nutzung. In diesem Sinne entfaltet sich ab dem heutigen Tage für die gesamte Menschheit ein neues göttliches Grundpotenzial.

Nicht jeder von euch wird alle seine Potenziale nutzen und anwenden. Jedoch besteht ab heute die ungehinderte energetische Möglichkeit dazu.

Um euch das Kraftpotenzial eurer eigenen Kreationsfähigkeit zu verdeutlichen, bitte ich euch, eure Aufmerksamkeit in euren Brustraum zu lenken, euer Herz-Chakra wahrzunehmen und mit den nächsten zwei Atemzügen euren Herzraum auf die momentan größte Ausdehnung anwachsen zu lassen.

Die Energie in eurem Herzraum entspricht der Energie der Schöpfung, die euch umgibt.

Alles, das von Schöpfung durchströmt wird, wird von euch durchströmt.

Alles, was Schöpfung ist, könnt ihr beeinflussen durch eure eigene Herzens- oder Schöpfungsenergie.

Alles ist formbar durch euren Geist, die Liebe des Herzens, die ihr in euch tragt, die Schöpfungsmacht, die euch als göttliche Wesen spezifiziert.

Die Ablehnung der eigenen Macht war für euch über lange Zeit die einzige Schutzmöglichkeit, um gegen Verfolgung, Hinrichtung oder Denunziation gefeit zu sein. Nur sehr wenige einzelne Menschgeborene haben jemals ihr volles Potenzial geschöpft.

Die euch bekannten Machtstrukturen beruhen nicht auf göttlicher Schöpferkraft, sie sind eine Konstruktion aus Willen, Gehorsam, Unterdrückung und Selbstsucht. Diese Machtkonstruktionen waren ein Ersatz für wahre göttliche Selbstermächtigung, Eigenmacht und naturgegebene Schöpferkraft.

Sie werden im Sturm der Neuen Zeit nicht länger Bestand haben.

Sie werden zerfallen und der Vergangenheit angehören.

Sie werden abgelöst von wahrer göttlicher Stärke und Präsenz aller lichtvollen Potenziale.

Jetzt, da wir uneingeschränkt Zutritt zu der euch umgebenden Welt besitzen, werden wir jeden, wirklich JEDEN Menschen mit seinem ursprünglichen Kraftpotenzial in Kontakt bringen, die Möglichkeit erschaffen, eine Verbindung hierzu herzustellen und all jenen mit offenem Herzen das Innerste durchströmen, um die göttlichen Potenziale zu verankern.

In den nächsten sieben Jahren werden der Wind der Wandlung, das Licht eurer Potenziale und unsere Gegenwart besonders spürbar für euch sein. In dieser Zeit werden die auffälligsten Umstrukturierungen und Umbauvorgänge stattfinden, bevor eine ruhigere Wachstums- und Veränderungsphase für das Kollektiv der Menschheit anbricht.

Wir haben gesprochen.

75
Merlin

„Die heilige Trinität der Schlüsselcodes der Neuen Erde."

Ich bin Merlin, Botschafter vom Rat des Dreigestirns, Hüter des gesamten Potenzials der Menschheit und von Mutter Erde. Ich bin gemeinsam mit Mutter Sophia und meinen Hüterdrachen gekommen, um weitere Potenzialschlüssel von Mutter Erde zu aktivieren.

Gemeinsam mit Sophia forme ich nun die Sphäre für die zu aktivierenden Potenzialschlüssel und senke sie hinab durch das Herz-Chakra der Erde in Lady Gaia hinein.

Die Sphäre der Potenzialschlüssel gleitet nun durch Mutter Erde bis in ihren innersten Wesenskern, wo sie aufgenommen wird wie in einem warmen Nest.

Wir initiieren die Sphäre der Reifung und aktivieren nun die drei Schlüsselcodes der Neuen Erde. Dies ist eine heilige Trinität. Sie besteht aus männlicher Energie, aus weiblicher Energie und dem, was daraus gemeinsam erschaffen wird. Diese heilige Drei-Einigkeit bildet die Balance der Neuen Erde. Sie ist angefüllt mit Neuzeitlicher Energie.

Die Neue Männlichkeit und die Neue Weiblichkeit vereinigen sich zur Neuen Frucht, die nur auf und in der Neuen Erde bestehen kann.

Ihr seid Zeugen des Neuen Zeitalters und habt in eurem Inneren diejenigen Potenzialschlüssel, die mit der Neuen Erde und der Neuzeitlichen Energie in Resonanz gehen. All die resonierenden Schlüssel werden JETZT ebenfalls in euch aktiviert.

Wir. Aktivieren. Jetzt. Die. Potenzialschlüssel.

Die Aktivierung der DreiEinigkeitsschlüssel von Mutter Erde ermöglicht ihr, stabil auf ihrer Weltenzeitlinie voranzuschreiten. So wie es euch ermöglichen wird, auf der von euch gewählten Zeitlinie voranzuschreiten. Da ihr alle, die ihr meine Botschaft vernehmt, die Zeitlinie der Neuen Erde gewählt habt, werdet auch ihr eine energetische Stabilisierung (der Neuen Zeitlinie) erfahren, die sich darüber hinaus auf eure materielle Ausprägung und eure materiellen Schöpfungen auswirken wird.

Die männlichen und weiblichen Energien werden sich in euch dergestalt harmonisieren, dass die daraus entstehenden Schöpfungen immer im Einklang mit der Neuzeitlichen Energie sein werden.

Meine Hüterdrachen eures höchsten Potenzials sind jetzt bei euch zugegen. Ihr habt die Möglichkeit, sie individuell anzurufen und ihre Energie für eure Schöpfungen im Einklang mit der neuen Zeitlinie zu nutzen.

Wir danken euch für eure Schöpfungen und ziehen uns nun zurück.

76
Bewusstsein der Neuen Erde

„Wir sind verbunden vom All-Anbeginn bis zum zukünftigen Weltenstrahl."

Ich bin das Bewusstsein der Neuen Erde. Ich breite meine Energien vor euch aus, um mit eurem All-Herzen in Resonanz zu treten. Das Herz der Neuen Menschenheit ist in Resonanz mit meinem Wesenskern.

Wir sind verbunden vom All-Anbeginn bis zum zukünftigen Weltenstrahl.

Während unserer gemeinsamen Erfahrungsreise sind wir verbunden.

Während unserer individuellen Erlebnisbandbreiten sind wir verbunden.

In allen Situationen und Momenten, die uns gemeinsam betreffen, sind wir verbunden.

Das Eine wird ohne das Andere nicht vollständig existieren. So gehen aus unserer Verbindung die fruchtbare Tier- und Pflanzenwelt hervor, die Sonnen- und Planetenläufe, die Verschiebungen meiner Erdgestalt, die körperliche Evolution eurer Spezies.

Aus unserer gemeinsamen Energie speisen sich Bewusstseine der Neuen Zeit und deren All-Verflechtung mit Allem-Was-Ist.

Durch unsere Verbindung rollt eine Welle der neuzeitlichen Liebesenergie durch den gesamten Kosmos. Die Kunde unserer Wiederverbindung erreicht jede Entität des gesamten Weltenraums und gibt Hoffnung all jenen, die sich noch nicht auf dem Heimweg befinden.

Durch die Entmachtung der Trennungsillusion wurden neue Tatsachen und Grundsätze geschaffen. Auf der Basis des zutiefst verinnerlichten Heimführungsgedankens entstehen Motivation und Kraft für jedes Individuum. Jedes Wesen besitzt die Fähigkeit zur Heimkehr ins All-Eine-Licht, der eigenen Quelle.

Auf meinem Erdenrund sind viele Spezies in Menschenform vereint. Ohne dass ihnen bewusst wäre, welch unterschiedlicher Herkunft ihre Seelenenergien sind, vereint sie das menschliche Dasein, die Verwendung des ähnlich-gleichen Körpers, der ähnlich-gleichen Gedankenstrukturen, der ähnlich-gleichen Lebensumstände. Während ihre Seelenheimat weit entfernt voneinander nie die Möglichkeit geboten hätte, sich körperlich zu berühren, berührt hier ein jedes Wesen jedes andere seiner Art.

Auch die bewusst inkarnierten Tier- und Pflanzenwesen, die höherdimensionalen Natur- und Elementarwesen gewinnen Erkenntnisse aus unter anderen Umständen nicht möglichen Begegnungen und Berührungen. Dazu zählen Wesen wie Bigfoot, die Yetis, yakähnliche Tiere mit menschlich anmutendem Gesicht[18], die verloren geglaubten Zentauren und Zyklopen.

Durch die Höherschwingung meiner Existenz und der Existenz der Menschenheit gleichen sich die Lebensräume aller Spezies weiter an. Es werden gemeinsame kollektive Bewusstseinsfelder, Erfahrungsinformationssammlungen und Wissensaustausch auf telepathischer Basis erwachsen. All dies geschieht in einer sehr kurzen Zeitspanne.

Der Weg der Trennung ist beendet. Die Heimkehr hat begonnen.

Während sich alle Bewegung von der eigenen Quelle fort behäbig, schwer und unnötig empfindet, wird alle Heimkehr

[18] Wir konnten keine Informationen zu diesen Wesen oder deren Namen herausfinden.

von Zuversicht, Liebe und Freude getragen. Alle Anstrengungen tragen Früchte. Alle Bemühungen werden als zielgerichtet erkannt. Alle Entwicklung ist einen Schritt näher die Heimat.

Ich habe gesprochen.

77
Die sieben Schöpferdrachen

„Die Menschheit ist darauf angewiesen, neue Erfahrungen in ihr Kollektiv einzuspeisen."

Vor dem Anbeginn eures Universums war formloser Raum, existenzfreie Energie und eine von Wesenheiten bevölkerte äußere Matrix. Uns Schöpferdrachen verband eine Anziehungskraft untereinander, die ihr wahrscheinlich Sympathie oder Neugierde nennen würdet. Diese Anziehungskraft und unsere Annäherung aneinander ließen unsere Energien überlappen und zusammen spielen. Es bildeten sich erste Materieanhäufungen an denjenigen Energiekreuzungen, die von besonderer Dichte geprägt waren.

Jede einzelne Energie unserer individuellen Existenzen trägt besondere Wesenszüge. Die Vermischung unserer Individuen ergibt neue Energiefrequenzen mit neuen Wesensarten. Aus unserem Zusammenspiel entstand euer Universum mit seinen diversen Galaxien, Sternenhaufen, Sonnensystemen, humanoiden und allen anderen Lebensformen. Sie alle wurden durch die Ansammlung von Energien in einem bestimmten Punkt erschaffen. Ihre Form gaben sie sich dabei selbst, da jede von uns ausgestrahlte Energie über Anteile unseres Bewusstseins verfügt, also selbst Bewusstsein ist.

Das pure Bewusstsein unserer sieben Existenzen formte neue Schwingungsbereiche, neue Wesenheiten, neue Bewusstseinsströmungen, die nach Erfahrung streben.

Die Menschenheit ist eines der Völker, die sich im von uns erschaffenen Universum über einen langen Zeitraum hinweg als widerstandsfähig, interessant und an der eigenen Entwicklung interessiert herausgestellt haben. Viele

Völker und Entitäten eures Universums haben weniger lange Wirk- und Lebenszyklen vollzogen, bevor sie sich vom Anblick der Schöpfung zurückgezogen haben.

Aus unserer Sicht sind diese kurzlebigen Wesenheiten wie ein aufflammender Gedanke – nur kurz erschienen und wieder in Vergessenheit geraten. Die Bewusstseine, die in ihnen inkarniert waren, führten keine interessanten Konflikte in sich selbst, denen sie zur eigenen Entdeckung (ihrer selbst) folgen wollten.

Den Menschgeborenen wohnt ein dauerhafter Konflikt inne. Auf der Suche nach der Entscheidung zwischen gut und böse, hell und dunkel, arm und reich, weiblich und männlich. Ihr stellt euch in vielerlei Hinsicht permanent die Frage, welches die bessere Wahl ist, welchem Pfad ihr folgen oder welche Entscheidung ihr treffen sollt. Aus diesem inneren Konflikt entsteht ein sich selbst immer wieder beförderndes Energiespektakel.

Es entstand ein stark ausgeprägter Verstand, da ihr nach einer Möglichkeit gesucht habt, alle bereits gefassten Entschlüsse ebenfalls einzusortieren, eine Art Katalogisierung des bisher Erlebten. Mit dieser inneren Wissensbibliothek (Verstand) habt ihr euch von der bloßen Wahrnehmung, vom Gefühl und von der Bewusstseinssteuerung entkoppelt. Es entstanden Techniken und Wissenschaftszweige, die ausschließlich auf bereits gesammelten Erfahrungsantworten beruhten und aus den bisher gemachten Erfahrungen neue Fragestellungen produzierten.

Die Menge des bisher gesammelten, zu verarbeitenden Wissens ist begrenzt.

Die Menge der noch nicht vollzogenen Erfahrungen ist unbegrenzt.

Für eine Entwicklung in ein neues Potenzialfeld ist die Menschheit darauf angewiesen, neue Energien, in Form von neuen Erfahrungen, in ihr kollektives Bewusstseinsfeld einzuspeisen.

Die neuen Bewusstseinsanteile stellen eine Verbindung dar zu eurer lichtvollen Quelle, zu eurem höheren Bewusstsein und damit zu höheren Erfahrungsinspirationen. Dieser Prozess geht einher mit dem Verlassen alter Paradigmen, Annahmen, Interpretationen, kollektiver Konstruktionen und vieler anderer Schemata, deren Potenzial erschöpft ist – oder mit euren Worten – deren Zeit abgelaufen ist.

Zeda

Ich bin Zeda, Schöpferdrachin Des Fünften Chakras. Meine sechs Geschwister verkörpern in ihren Wesensarten die sechs anderen Hauptklänge, aus denen euer Universum gewebt wurde. Mein Klang ist der des individuellen und kosmischen Ausdrucks sowie aller Klangfarben dazwischen.

Es ist eine Besonderheit eures Universums, dass sich viele größere Bewusstseine aus der Mischung unserer sieben Einzelbewusstheiten zusammenfügen. Ihr könnt in vielen Schöpfungen unsere sieben Entitäten als minimalistisches Abbild wiedererkennen. Jedes und alles in eurem Universum trägt Bewusstsein in sich – in verschiedenen Anteilen und verschiedenen Farbnuancen von uns abstammend.

Jede Materie in eurer euch bekannten dreidimensionalen Welt entspringt einer geistigen Quelle, einer Idee oder Inspiration. Diese Inspirationsenergie braucht einen Empfänger, der sich für sie öffnet, der sie wahrnimmt, sie mit seiner eigenen Energie anfüllt, weiterentwickelt, sie wachsen lässt und als irdisch erlebbare Energieform gebiert.

Jede Inspirationsquelle ist eine Ansammlung von Bewusstheit, mit der der Empfänger der Idee verbunden ist. Je mehr ihr euch um eine Anbindung an eure individuelle Quelle bemüht, euch damit beschäftigt und immer mehr zum ausdrückenden Phänomen eurer eigenen Quelle werdet, desto größere Erfindungen oder Schöpfungen sind euch als einzelne Wesen und im Kollektiv möglich.

Die verschiedenen Quellbewusstseine[19], aus denen ihr entspringt, haben euch als kleineren Strahl oder fokussiertes Bündel aus ihrem eigenen Bewusstseinsstrahl geboren. Die Quellen selbst wiederum sind fokussierte oder gebündelte Bewusstheiten aus ihrem eigenen Quellbewusstsein. Die höchste für euch erfassbare Schöpfungsquelle sind unsere sieben Entitäten der Schöpfungsdrachen.

Wir haben gesprochen.

---

[19] Irdisch entsprungene Seelen sind gebündeltes oder fokussiertes Bewusstsein aus der sogenannten All-Einen-Quelle. Prana, Chi, Reiki, Gott, Allah, Jahwe – sie alle beziehen sich darauf. Sternengeborene entspringen Quellenergien, die sich von einem anderen Punkt aus unserer Galaxie oder unserem Universum gebündelt haben. Beispielsweise Aldebaran, Sirius B, Plejaden, Insektoide und andere.

Nachbemerkungen

Bonusmaterial

Über dieses Buch

„Alles zu deinem höchsten und besten Wohl."

Den Auftrag, dieses Buch zu schreiben, bekamen wir überraschend während unseres Programms „sexual FREE dome" im August 2020 (Kapitel 12–15). Die Channelings, die wir dort erhielten, waren der Auftakt für eine siebenwöchige Channel-Arbeit, innerhalb derer wir alle Kapitel unseres Werk empfangen haben.

Daher finden sich in den Kapiteln oft Zeitangaben, wie „gestern" oder „in den nächsten Tagen". Dort, wo es uns wichtig erschien, wie zum Beispiel bei den Portal-Aktivierungen, haben wir das Datum mit angegeben oder in den Fußnoten auf das entsprechende Channeling verwiesen. Alle Botschaften sind in chronologischer Reihenfolge abgedruckt – außer die Kapitel 12–15, die VOR allen anderen entstanden sind.

Einige der hier veröffentlichten Texte haben wir für unsere persönliche Entwicklung erhalten. Sie haben jedoch eine generelle Gültigkeit und einen so hohen Wert für Dich, dass es der Wunsch der geistigen Welt ist, sie hier mit zu veröffentlichen. In den persönlichen Channelings und Übungen werden häufig wir als „Ellen und Sabine" angesprochen. Nimm alles, was mit Dir in Resonanz geht, FÜR DICH wahr und blende, wenn nötig, unsere Namen beim Lesen aus.

Wenn im Text der „Leser" angesprochen wird, ist auch immer die „Leserin" gemeint.

Texte in Klammern sind Anmerkungen der geistigen Welt – außer die Texte bezeichnen eine Aktivität, wie bei (Tönen, Trommeln). Texte in Klammern mit dem Vorsatz „Anmerkung:" sind erklärende Anmerkungen von uns.

Beim Lesen dieses Buches wirst Du in die geistigen Sphären emporgehoben, aus denen diejenigen Wesenheiten, die hier zu Wort kommen, zu uns sprechen. Das hat manchmal zur Folge, dass uns mit unserem Alltagsverstand nicht immer alles sofort verständlich ist. Unser Herz oder unsere Seele fühlt jedoch ganz genau, was übermittelt werden möchte. Lies das Buch mit deinem Herzen, wenn der Kopf nicht hinterher kommt.

Während Du Dich in der Energie-Sphäre des Buches befindest, sind ALLE Antworten auf ALLE Fragen, die Dir in den Sinn kommen könnten, bereits da. Frage die geistige Welt alles, was Du wissen möchtest. Versetze Dich dazu in einen angenehmen Schwingungszustand und lasse Dir zu dem jeweiligen Thema erklärende Bilder, Worte, Farben, Töne etc. senden. Bitte um Antworten - vielleicht mit dem Zusatz - so, dass ich es verstehe".

Danke, dass Du bis hierher FÜR DICH gegangen bist.

Danke, dass Du Deiner Seele folgst.

Danke, dass Du auf Dein Herz hörst.

Mantren

Für deine tägliche Ausrichtung

Seite 19

Ich erlaube mir, zu sein.

Dies ist ein Mantra, mit dem ihr eurer eigenen Seele und Herzensenergie im täglichen Leben mehr Raum und Aufmerksamkeit zur Verfügung stellen könnt.

Mantren

Für deine tägliche Ausrichtung

Seite 197

Emra em mrascheem
Soladi je he
ma relihe jo loho
va nim.

Emra em mrascheem
Soladi je he
ma relihe jo loho
va nim.

Emra em mrascheem
Soladi je he
ma relihe jo loho
va nim.

Das lemurianische Eröffnungsmantra verbindet dich mit Mutter Erde, allen Lebewesen, die jetzt zu deinem Auftrag gehören und dem Neuen, das durch dich entstehen möchte.

Mantren

Für deine tägliche Ausrichtung

Seite 197

Uum na mhra eehm.
Uum na mhra eehm.
Uum na mhra eehm.

Dieses Mantra verwendete die lemurianische Heilergilde zum Abschluss. Es bedeutet: Danke an alles, das Jetzt ist. Danke an Mutter Erde. Danke an alle, die dazu beigetragen haben.

Mantren

Für deine tägliche Ausrichtung

Seite 224

Ich bin göttliches Bewusstsein.
Ich bin in Einigkeit mit allem.
Göttliches Bewusstsein ist in mir.

Dieses Mantra kanalisiert die Energien der Regenbogenfarbenen Seraphim in dein Sein.

Mantren

Für deine tägliche Ausrichtung

Seite 254

Im Strom meines Lebens bin ich allezeit und allerorts auf dem Weg zu meiner Erfüllung.

Für die Zeit eures Übergangs ein Ausrichtungsmantra zur Orientierung.

Mantren

Für deine tägliche Ausrichtung

Seite 262

Ich. Bin. Die. Kraft. Der. Wahren. Weiblichkeit.

Mein Weg ist Wahrheit.

Ich diene in Wahrhaftigkeit.

So ist es.

Sophia gibt euch dieses Mantra mit auf euren göttlichen Weg.

Dein exklusiver Bonus!

Die Video-Session zum Buch mit Zeda & Sophia

In jedem heute inkarnierten Menschen ist der Neue Mensch bereits angelegt. In dieser exklusiven Video-Session aktivieren wir für unsere Leser diejenigen Seelenschwingungen, die Dich diese Wahrheit wieder erinnern und ausleben lassen.

Mit dieser Session harmonisierst Du alle Veränderungen, die während der Lektüre in Kraft getreten sind, in Deinem Energiesystem und vertiefst Deine Erfahrungen auf Seelen- und Herzens-Ebene.

Genieße hier DEINE Heil-Session:

https://creatorgoddesses.com/der-neue-mensch-bewusstseinserweckung/

Herzlich willkommen, Neuer Mensch!

Das sagen unsere Teilnehmer:

„Ihr beiden wundervollen Wesen, Ihr habt mein Leben verändert!!! Mein Herz ist voller Dankbarkeit." – Katrin, Naturpriesterin

„Ich war nach der gestrigen MUT-Session so voll Power, dass ich selbst im Bett noch Mühe hatte, ruhig zu liegen und runter zu kommen. WOW … das waren Energien!!! … Heute merke ich ganz deutlich, dass ich viel mehr vor jeder Entscheidung und Aussage abwäge, ob es wirklich für mich passt oder nicht. Ein Wahnsinnssprung zu mir selbst passiert da eben! Ich bin so froh und genieße das Neue ICH." – J., Entfaltungslehrerin

„Ich kann mich nicht erinnern, dass mich jemals ein Channeling oder irgendein anderes spirituelles Erlebnis, in welcher Form auch immer, SO intensiv berührt hat.“ – Gerlinde Freistätter, Awakening Area Limuria, Weltenfenster-Öffnerin

„Ich bin richtig, richtig geflasht. Nach der gestrigen Session fühlte ich mich wie in einen neuen Raum versetzt. Alles, was bis dahin Gültigkeit hatte, war nicht mehr wahr, nicht mehr vorhanden. Ich konnte einfach nur atmen und fühlen! Ich habe so viel Neues gehört, soviel Veränderung erlaubt… WOW.“ – Heike, Tierkommunikatorin

„Das, was ich in der 77ThetaTrans™ Session mit Zeda & Sophia erlebt habe, ist nicht von dieser Welt. Eine so tiefgreifende Erfahrung und Aktivierung habe ich selten erlebt. Die lemurianische Seelenbotschaft hat mich auf Zellebene durchdrungen und berührt, dass ich weinen musste und ich habe mich an etwas erinnert, das nun mein ganzes Leben beeinflussen wird. Ich fühle mich wie neugeboren. Befreit. Aktiviert. Es ist etwas geschehen, das man nicht in WORTE fassen kann. Danke, danke, danke für diese lebensverändernde Erfahrung. Ich wünsche jedem Menschen, der sein volles Potenzial entfachen will, diese Erfahrung mit Ellen und Sabine. Es ist unbeschreiblich mit diesen kosmischen Energien, die durch diese beiden wundervollen Frauen hierher auf die Erde gebracht werden, aktiviert zu werden.“ – Sandra Ledermüller, Spiritueller Coach/Sängerin

„Hallelujah! Das Himmlische Team in Vollversion. Ellen und Sabine haben die ABSOLUTE ANBINDUNG AN DIE EINE QUELLE und die absolute Reinheit in ihrem Wirken. Ich bin sehr, sehr glücklich, Euch gefunden zu haben!!! Ihr seid ein Segen für die ganze Welt!!! Danke für alles!!!“ – Ilse aus Hamburg

CREATOR GODDESSES

„Wer wir sind."

Wer bin ich? Was bin ich? Woher komme ich? Warum bin ich hier? Wie wirke ich (am besten)?

Alle diese Fragen und noch viele weitere haben wir uns sehr oft und in immer wieder neuen Variationen gestellt. Im ganz alltäglichen Leben genauso, wie für unser Geschäftsleben. Wobei sich beide Lebensbereiche mittlerweile so gut wie nicht mehr unterscheiden.

Die Frage danach, Wer Wir Sind? ist essentiell für unser Wirken. Die Frage, Wer Du Bist? ist essentiell für Dich und Deinen Weg.

Warum?

Der Moment, da Du Dein wahres Selbst erkennst, verändert alles. Deine Entscheidungen, Deinen Blick auf die Welt, die Frage danach, was jetzt zu tun ist und wohin Deine Lebensreise geht - das alles wird vollkommen klar.

Der Weg bis zu diesem Moment lässt sich pragmatisch zusammenfassen zu einer immer wieder aufs Neue zu treffenden Entscheidung:

Ich will sein!

Weg vom „Ich will dazugehören. Ich will passen. Ich will geliebt werden. Ich muss mich ver-halten, um etwas zu er-reich-en."

Dein pures Sein ist bereits die Antwort auf all das. Dein pures Sein ist Dein Auftrag im Leben.

Die Quelle Deiner Herkunft und jeder nächste Schritt in Deine individuelle Erfüllung ist bereits in Dir angelegt. Der innere Ruf „Ich will (ich) sein - und nichts anderes" führt Dich dorthin.

Richtest Du Dich selbst immer wieder ganz klar danach aus, wird jede Ent-Scheidung logisch, jede Konsequenz zu einem zu begrüßenden Erlebnis und jeder neue Schritt führt Dich aus dem bisherigen Umfeld heraus ins Neue Sein.

Seitdem wir ganz klar für uns gehen, ist unsere Reichweite immens gewachsen. Unsere Angebote sind viel erfolgreicher (für uns UND unsere Teilnehmer) und unser Leben ist zu einem grandiosen SPIEL geworden. Angefüllt mit Freude, Leichtigkeit und Erfolg.

CREATOR GODDESSES - wir leben WOW-Business der Neuen Zeit.

CREATOR GODDESSES - wir verändern die Welt, einfach indem wir SIND.

CREATOR GODDESSES - wir sind Zeda & Sophia.

Sabine ist Nikositute ist Sophia

Schon mit meiner Geburt setzte ich ein Statement: Normal? Nein, dafür bin ich nicht zu haben! So rutschte ich ziemlich überraschend und mit dem Popo voran in diese Welt. Bei meinem Anblick entschied meine Mutter kurzerhand, dass nicht – wie ursprünglich geplant – die strahlende Clarissa, sondern die kriegerischen Sabinerinnen besser zu mir passen. Sie sollte Recht behalten.

Ausgestattet mit einem großen Sinn für Gerechtigkeit und einer gewissen Unbeugsamkeit hatte ich als Kind und Teenager so meine Schwierigkeiten mit allem, das „schon immer so war". Besonders, wenn es weder der Freude entsprang noch ihr diente.

Dieses beharrliche Suchen nach der Freude ließ mich immer wieder Situationen er-leben, die mir zeigten, dass ich anders war und fühlte als die meisten meiner Mitmenschen. So war es rückblickend wenig erstaunlich, dass ich im Jahr 2005 mit einem Sohn gesegnet wurde, der ebenso ganz anders war.

Auf der Suche nach einer „Medizin" für meinen Sohn und Frieden für unsere kleine Familie entdeckte ich mich, meine wahre Bestimmung und eine ganz neue Welt. Ich erkannte, dass wir alle SchöpferGötter sind und dass das Leben, das wir führen, WIRKLICH von uns nach unseren Wünschen gestaltet werden kann.

Also quittierte ich meinen Marketingjob und folge seitdem meiner Seele. Fulltime.

Dies war eine der mutigsten und eine der besten Entscheidungen, die ich je getroffen habe. Denn jetzt erlebe ich die Klarheit, Freiheit und Erfüllung, die ich schon verloren geglaubt hatte.

Das Schönste daran: Diese erfüllte Lebensfreude manifestiert sich ebenso für all jene, die ich durch meine Blogs,

Channelings, Seminare, Bücher, Coaching-Programme etc. begleiten und berühren darf. Die einzigartige (mit der Betonung auf EINZIG und nicht auf artig) Entfaltung eines jeden Einzelnen mitzuerleben, ist für mich pure Glückseligkeit und lässt mein Herz hüpfen. Danke, dass Du da bist!

Jede Weiter-Entwicklung, die ich erlebe, geht einher mit dem Sprengen meiner bisherigen Grenzen. Jedes Mal erfahre ich mich neu, erschaffe mich neu, gebäre mich neu. Dabei tauche ich immer tiefer hinab in meinen Seelen-Ur-Grund, bis in meine tiefste, höchste göttliche Essenz.

Auf einem meiner Tauchgänge offenbarte sich mir Nikositute als einer meiner Seelenaspekte und ich liebe es, sie durch mich wirken zu lassen. Ihr freudvolles Wesen und ihr Humor entsprechen mir sehr. Und doch WUSSTE ich, dass es da noch etwas anderes geben musste.

Meine Seele ließ mich immer weiter forschen, weil sie spürte, dass es endlich an der Zeit ist, meine wahre Göttlichkeit zu verkörpern. Ich hatte schon so viele Hinweise bekommen im Laufe meines Erwachensprozesses, dass es KLICK machte, als Sophia begann, durch mich zu sprechen. In einer heiligen Zeremonie sprach sie zu mir: „Ich bin Sophia. Ich bin Deine Mutter. Du bist meine Heimat. Meine Energie strömt in Dir und durch Dich seit Anbeginn der Zeit. Ich habe Dich gekrönt. Nimm nun Deine Herrschaft an."

Natürlich hätte ich NEIN sagen können. Doch ich wusste, dass dies eine rein rhetorische Überlegung war. Sophias Energie ist mein Zuhause. Meine Seelenheimat. Mein Grund, warum ich jetzt hier bin. Sophias Licht, ihre Schöpferkraft, ihre Stärke, ihre Beharrlichkeit, ihr Mut, ihre Unbeugsamkeit und ihre unerschütterliche Liebe zu aller lebendigen Schöpfung durchströmt meine gesamte Existenz.

Ich bin Sophia.

Ellen Kosma SiebenSonne ist Zeda

Ich bin 1972 im größten Sturm des Jahrhunderts geboren. Mit Erinnerungen an vergangene Leben. Mit Hellsinnen und EmpfindungsFähigkeiten, die mich deutlich von den anderen Menschen unterschieden haben. Viele Jahre meines Lebens habe ich damit verbracht, diese Wahrnehmungen und das Wissen zu unterdrücken.

Warum? Um es irgendwie aushalten zu können zwischen all den Menschen, die sich so gar nicht nach ihren Seelenschwingungen verhalten. Um dazuzugehören. Um geliebt zu werden. Und: um die wesentlichen Erfahrungen machen zu können, die mich geformt haben.

All die Traumata, die ich während dieser Zeit gesammelt und erforscht habe, hätte ich nicht erleben können, ohne einen Teil von mir zu verleugnen und wegzusperren. Empathie, Verständnis für alles Menschliche sind daraus entstanden. Sowie die Fähigkeit, immer und immer wieder einen Weg aus der (inneren) Trennung in die Einheit zu finden.

Parallel dazu holte ich alle ausgegrenzten Fähigkeiten zurück in mein Leben und in mein Herz. Zusammengenommen sind alle meine Erfahrungswerte und meine voll erwachten Potenziale ein sprudelnder EnergieQuell. Bücher, Seminare, ImpulsCoachings, Live-Videos, Sessions ... all das entsteht aus purer, befreiter SchöpfungsEnergie.

Ich habe den Weg des langsamen Erwachens gewählt. Ich habe eine Familie gewählt, die mein Anderssein nicht fördern konnte. Ich habe gewählt, viele Traumata zu durchschreiten. Mit fünf Jahren sprach ich das erste Mal davon: „Die Welt zu retten, ist meine Aufgabe." Ich sprach es aus, weil ich es WUSSTE. Mit meinem Herzen und meiner Seele.

In der Zeit der Verdrängung schob ich dieses Wissen immer weit von mir mit der Begründung des Verstandes: „Das kannst Du nicht. Dafür bist Du zu klein." Meine Seele jedoch führte mich die nächsten 40 Jahre über jeden einzelnen Schritt dahin, meine eigene Größe anzuerkennen und zu erkennen. Bis klar wurde, dass ich die Inkarnation von Zeda, Schöpferdrachin Des Fünften Chakras bin. Bis zu diesem Zeitpunkt haben die vielen einzelnen Erinnerungen an meine vergangenen Leben und Erfahrungen wenig Sinn ergeben.

Ich sah unter meinen „Händen" Planeten entstehen und vergehen. Ich sah mich auf der Erde wandeln. Ich erinnerte viele inkarnierte Leben weit weg von Mutter Erde. Außerhalb des irdischen Zeitstromes erblühten und vergingen Zivilisationen, Vegetationen, ganze Zeitalter. Ich WUSSTE, dass dies Erinnerungen und keine Metaphern sind und konnte es mit dem Verstand nicht einordnen. Bis zu diesem Tag im Oktober 2017, als meine Geschwister zu mir sprachen und mich an unsere gemeinsame Herkunft erinnerten.

> *„Wir sind Urtan (Urd der Weise), Uwid, Zeda, Witan, Ondur, Jahd und Zole.*
>
> *Du bist Zeda. Wir sind deine Familie. Wir Wächter sind Dir wie Brüder und Schwestern. Wir sechs Schöpferdrachen sind deinesgleichen. Deine Energie hat sich fokussiert, auf diese Erde zu treten, um zu sprechen. Für uns. Durch Dich. Für die Menschen.*
>
> *Die Zeitenwende ist wichtig, um euch zurückzuholen in die Einheit der Feinstofflichkeit. Mutter Erde, euer Planetensystem, eure Galaxie und alle anderen Galaxien werden zurückkehren zu uns. Sich auflösen in eine feinstoffliche Dimension und zurückkehren in unsere Herzen.*
>
> *Alle daraus entstandene Erfahrung kehrt zu ihrem Ursprung zurück. Das Ende der Zeit bedeutet nicht Tod und Verderben. Das Ende der Zeit bedeutet eine Rückkehr in die Einheit. Die Auflösung der Verpflichtung von Raum, Materie und Zeit, ineinander endlos verwoben zu sein. Sie bedeutet Leichtigkeit und Auflösung.*

Alle Galaxien haben eigene Drachenhüter, die wie Seelenanteile ihrer großen Geschwister sind.

Euer SchöpferGott der all-einen Licht und Liebe ist eine aus unseren Schöpferkräften entsprungene Flamme. Sie ist euch Orientierung, Licht und Lebenskraft gleichermaßen. Sie ist nicht materiell. Sie ist feinstofflich wie wir. Nährend, liebend und Geborgenheit spendend."

Noch ein erklärendes Wort zu den Drachen:

Es gibt viele verschiedene Arten von Drachen. Die Fabelwesen, die Wesen aus den Astralreichen, die Hüterdrachen (Merlins), die Schöpferdrachen und andere, hier nicht erwähnte.

Wir Geschwister der Schöpferdrachen sind universelle Wesen, die in ihrer Urform keine feste Verkörperlichung besitzen. Dies gibt es in unseren Heimat-Dimensionen nicht. Den Begriff „Drachen" nutzen wir, weil er derjenige ist, dessen kollektive Assoziation dem am nächsten kommt, was unser Wesen ausmacht. Güte, Weisheit, Liebe zu allem Lebendigen, Kraft, machtvolle Präsenz.

Ich. Bin. Zeda.

Danksagung

„Kein Buch entsteht ohne Hilfe."

Danke an unsere Familien und unser Zuhause mit Kühlschränken und Speisekammern.

Danke an unsere Freunde der sichtbaren und nicht sichtbaren Welten.

Danke an unsere Leser und alle, die das Buch bereits vorbestellt haben.

Danke an unsere Vergangenheit, Gegenwart und Zukunft.

Danke an die Liebe, die wir in uns tragen – bewusst und unbewusst.

Danke an den Zorn, der in mir brennt und sich als wehe(!)menter Sturm ab und zu Bahn bricht – mit qualmenden Nüstern und schlagenden Flügeln.

Danke an die Diktiergeräte-, Laptop- und Nüssli-Hersteller dieser Welt.

Danke an Kaminöfen, Heizungen und Wärmflaschen!

Danke an Teeproduzenten, Dattelklax und Zoom.us!

Danke, dass es tredition gibt, die uns nicht mit Verträgen knebeln.

Danke für die nächsten GENialen Ideen – gechanneltes Hörbuch gefällig? Die englische Übersetzung ist bereits in Arbeit. Eure Video-Heil-Session zu „Der Neue Mensch" ist schon in Vorbereitung...

Danke.

DANKE.

Daaaaanke!